La memoria

1

DELLO STESSO AUTORE

La briscola in cinque
Il gioco delle tre carte
Il re dei giochi
Odore di chiuso
La carta più alta
Milioni di milioni
Argento vivo
Il telefono senza fili
Buchi nella sabbia
La battaglia navale
Sei casi al BarLume

Marco Malvaldi

Negli occhi di chi guarda

Sellerio editore
Palermo

2017 © Sellerio editore via Enzo ed Elvira Sellerio 50 Palermo
e-mail: info@sellerio.it
www.sellerio.it

Questo volume è stato stampato su carta Palatina prodotta dalle Cartiere di Fabriano con materie prime provenienti da gestione forestale sostenibile.

Malvaldi, Marco <1974>

Negli occhi di chi guarda / Marco Malvaldi. – Palermo: Sellerio, 2017.
(La memoria ; 1077)
EAN 978-88-389-3684-5
853.92 CDD-23 SBN Pal0300249

CIP – *Biblioteca centrale della Regione siciliana «Alberto Bombace»*

Negli occhi di chi guarda

A babbo

Dalla finestra c'è una bella vista sul lago,
ma quella vista, lei, non si vede.
Senza colore e senza forma,
senza voce, senza odore e dolore
è il suo stare in questo mondo.

WISŁAWA SZYMBORSKA

Prologo

Per avere un'idea di che posto sia Poggio alle Ghiande, la cosa migliore è descrivere il punto di vista di ognuna delle persone che incontreremo nel corso della storia.

Per l'architetto Marco Giorgetti, perito immobiliare, Poggio alle Ghiande è una tenuta agricola con palazzo padronale e relativi annessi abitabili facente parte del Comune di Castagneto Carducci, sezione A, Foglio 88, Numero 855 subalterno 1-13, sita in via della Carbonaia s.n.c. ovvero senza numero civico anche perché mettiglielo te un numero a una roba del genere, secondo il catasto è la tenuta più grossa della provincia, ma secondo l'architetto è più grossa la tenuta della provincia.

Per l'ingegner Giorgio De Finetti, agente immobiliare, Poggio alle Ghiande è la location ideale per il brand SeaNese, permettendo una perfetta sinergia tra il cool design della holding e la diversity della location, che essendo a trecento metri dal mare ma vicino alle colline possiede sia il fashion che il country. Detto in parole povere, il più grosso affare della sua vita.

Per SeaNese, holding immobiliare cinese del ramo villaggi vacanze, Poggio alle Ghiande potlebbe essele una magnifica oppoltunità pel investile nella Malemma toscana, nonché pel liciclale autotleni di denalo di plovenienza non tloppo chiala. Lo so, è una presa per il culo di cattivo gusto. Proprio come quello che questi tizi hanno intenzione di fare.

Per Alfredo e Zeno Cavalcanti, fratelli gemelli e proprietari della tenuta, Poggio alle Ghiande è il posto dove hanno abitato per la maggior parte della loro vita. Per questo motivo, Zeno la ama. Per lo stesso motivo, Alfredo la detesta.

Per Piotr Kucharski, uomo delle pulizie, Poggio alle Ghiande è il posto che gli dà da vivere lavorando in modo onesto e legale da quando è arrivato in Italia, ringraziando la Santa Vergine di Czestochowa assunta in cielo a cui Piotr è particolarmente devoto.

Per Raimondo Del Moretto, agricoltore e custode della tenuta, Poggio alle Ghiande è il posto che gli dà da vivere lavorando in modo onesto e legale da quando è uscito dal manicomio, ringraziando il signor Zeno che lo ha assunto a lavorare la terra ed al quale Raimondo è particolarmente devoto.

Per Giancarla Bernardeschi, professoressa di chimica in pensione e affittuaria dell'Appartamento Verde, Poggio alle Ghiande è un paradiso di erbe aromatiche per cucinare, alberi carichi di frutta da distillare e amici a cui fare assaggiare il risultato.

Per Riccardo Maria Torregrossa, meccanico di box di Formula 1 e affittuario dell'Appartamento Rosso, Poggio alle Ghiande è il posto in cui passare tutto il tempo che non passa in giro per il mondo a dormire al decimo piano di alberghi con le finestre chiuse e a parlare a voce troppo alta per via del rumore dei motori. Per cui una sdraio sull'erba, aria aperta, silenzio e un bel libro in mano, chi rompe i coglioni gli sparo.

Per Anna Maria Marangoni, casalinga campionessa di burraco e affittuaria dell'Appartamento Blu, Poggio alle Ghiande è il posto dove ha passato per ventisette anni le vacanze estive con il marito Giacomo. Quest'anno è il ventinovesimo. E il ventotto, direte voi? Molto semplice. L'anno scorso, in piena coerenza con la ricorrenza, il marito Giacomo ha detto a Anna Maria (parole di Giacomo) che si era rotto i coglioni di vivere con una stronza *da* ventisette anni ed è andato a vivere (parola di Anna Maria) con una stronza *di* ventisette anni. Cioè circa la metà di cinquanta, ovvero l'età di Anna Maria Marangoni: a volte, per capire veramente le cose, un po' di numeri valgono più di mille parole. Quanto al significato del numero ventotto, se avete un amico livornese ve lo può spiegare lui.

Per Enrico Della Rosa, flautista, direttore d'orchestra e a tempo perso pittore, e Cristina Salitutti nei Della Rosa, violinista e un tempo ormai perso modella, affittuari dell'Appartamento Giallo, Poggio alle Ghiande è un'oasi di calma da settembre a maggio e un allevamento di nipotini da giugno in poi. Entrambi aspetti che la rendono, più che gradevole, necessaria.

Per Margherita Castelli, filologa e archivista, Poggio alle Ghiande è la sede di una collezione d'arte di un certo pregio, raccolta da Zeno nel corso degli anni e bisognosa di una accurata e completa opera di catalogazione ed attribuzione, particolarmente nel settore paesaggistico, che vanta opere di Renato Natali, Llewellin Lloyd, alcuni macchiaioli minori e forse addirittura un Segantini.

Per Piergiorgio Pazzi, infine, Poggio alle Ghiande è il posto dove avrebbe finalmente rivisto Margherita, i suoi occhi verdi, il suo ciuffo viola, il suo sorriso a labbra appena socchiuse e tante altre cose a cui Piergiorgio quasi si stupiva di non pensare.

Su una cosa sola tutte queste persone sarebbero d'accordo: che Poggio alle Ghiande non è, e non sarà mai, un posto in cui arrivare e restare indifferenti.

Inizio

Uno degli stati d'animo più belli dell'essere umano è quello del viaggio di andata. Specialmente se uno è in treno.

Eccessi di velocità, colpi di sonno, mancanza di benzina non ti riguardano; del viaggio da un punto di vista tecnico non hai niente di cui preoccuparti, e mentre il treno ti culla tu puoi cullare le tue aspettative.

Se poi sei talmente fortunato che il tuo treno è sulla tratta da Genova a Roma, puoi anche spegnere impunemente il cellulare – scusa se ho visto solo ora la chiamata ma sai, con tutte quelle gallerie il segnale non prende mai – e goderti il viaggio senza dover essere costretto ad affrontare la vita che si svolge altrove.

Quella mattina, mentre guardava scorrere dal finestrino le colline e i paesi dell'alta Maremma che portavano a Campiglia, Piergiorgio Pazzi stava appunto svolazzando pigramente da una aspettativa all'altra, senza sapere su quale concentrarsi. E, al tempo stesso, stupendosi di quanto era cambiato l'aspetto del paesaggio che gli era passato davanti agli occhi così tante volte.

Da bambino, la stazione di Campiglia Marittima era

il posto più bello del mondo per un semplice e incontestabile motivo: era l'inizio della vacanza. Che in realtà non partiva da lì, ma da Pisa, con uno dei tanti treni regionali che quotidianamente dipanavano quella lista apparentemente banale di stazioni, fermandosi in tutte o quasi. Da panico quando l'annunciatore, invece di dire «ferma a Livorno, Quercianella, Castiglioncello» eccetera eccetera diceva un lapidario «non ferma a Tombolo», che significava che le altre possibili fermate se le faceva tutte, inclusa casa del capotreno per un rapido saluto ai bambini.

Da Campiglia, poi, si prendeva il pullman per arrivare a Piombino, e da Piombino la nave per arrivare all'Isola d'Elba.

Ma la vacanza vera e propria iniziava alla stazione di Campiglia.

Quando mamma, dopo un'ora e mezzo di treno, si era convinta di non essersi scordata nulla e si era rilassata, e babbo entrava con Piergiorgio nell'edicola della stazione e comprava la «Gazzetta» e «Topolino». E quel giornalino Piergiorgio iniziava a leggerlo subito, nonostante le lamentele della mamma che guidava la carovana di famiglia alla conquista del pullman, carica di valigie di vari ordini di grandezza e seguita a passi lenti e atassici dal Pazzi junior e dal Pazzi senior, entrambi con il naso immerso nelle pagine e incapaci di sentire qualsiasi rumore. Trac, vrooom, di-don, te guarda lì siamo in tre abbiamo valigie per dieci e io qui da sola come una scema che sembro la dea Kalì mentre quegli altri sono lì utili come una tisana in caso di ictus, pregate solo di accorgervi che siamo arrivati a Piombino perché è la volta buona che scendo e vi mollo lì, poi quando alzate la chiorba e vi rendete conto che siete a Viterbo cavoli vostri, macché, nulla.

Poi Piergiorgio era cresciuto. Era andato alle medie, al liceo, e si era iscritto a medicina. Da quel momento in poi, la vita era diventata una questione di tenere il ritmo. Ritmo nel dare gli esami: sempre in pari a ottobre, mai una sessione bucata. Ritmo nel correre, l'unica altra cosa che riuscisse a fare da solo a parte studiare: una velocità di crociera ormai consolidata, quattro minuti al chilometro, ridicola per un professionista ma notevole per un dilettante. E ritmo con le ragazze: di solito, duravano un anno. Così Piergiorgio si era laureato, aveva fatto la specializzazione e aveva incominciato a battere anche lo stesso ritmo che si era imposto, diventando ricercatore a ventotto anni e professore associato cinque anni dopo.

E, da adulto, Campiglia Marittima era diventata una tappa intermedia nei viaggi verso Roma con l'Intercity delle 7:35. E più tardi era scomparsa, perché a Roma ormai ci si andava con l'alta velocità e si arrivava in nemmeno tre ore, anche se nonostante questo chi viaggiava non era disposto a perdere tempo e a rilassarsi nemmeno in treno; tutti lì chini su portatili e tablet, proattivi e iperconnessi, che ogni posto e ogni momento è buono per lavorare. Tutti o quasi, Piergiorgio incluso.

Quel giorno, invece, era diverso.

In primo luogo perché anche se era in treno per lavoro, fino al momento in cui non fosse arrivato a destinazione non avrebbe potuto portarsi avanti in nessun modo.

In secondo luogo, perché la destinazione non era Roma, ma proprio Campiglia, anche se non esattamente la stazione; dalla stazione avrebbe dovuto infatti prendere un altro mezzo che lo avrebbe portato in località Poggio alle Ghiande, a Donoratico, dove la sua presenza era stata richiesta.

Ultimo, ma non meno importante, perché a portarlo da Campiglia a Donoratico non ci sarebbe stato un pullman, un torpedone, una corriera o una qualsiasi altra fabbrica di mal di schiena su quattro ruote, ma una comoda automobile guidata da Margherita.

Margherita Castelli.

Saremmo ingiusti se ora dicessimo che Piergiorgio si stava chiedendo se Margherita fosse cambiata, dall'ultima volta che si erano visti. In realtà Piergiorgio era certo che Margherita non fosse cambiata; o, meglio, era certo che tutti gli aspetti tali per cui Margherita gli era rimasta scolpita nel cervello, e in altri organi più in basso, gli avrebbero fatto lo stesso effetto.

Solo una cosa, di Margherita, Piergiorgio sperava ardentemente che fosse cambiata, rispetto all'ultima volta che si erano visti.

Una, ma molto importante.

– Ho una relazione.

Margherita, le mani in grembo, aveva continuato a ruotare l'anello intorno al pollice destro con un certo nervosismo. Nervosismo che invece a Piergiorgio era passato, lasciando il campo a una delusione senza fondo.

Intorno a loro, piazza delle Vettovaglie rutilava di vita di tutti i tipi e di tutti i colori, ma con una netta prevalenza di bianco. Bianchi i tavolini, bianchi nei bicchieri, bianche le magliette e bianca la roba che alcuni spacciatori offrivano discretamente al riparo delle colonne. Un estratto di gioventù e di salute allegramente indifferente alla mazzata che aveva appena preso Piergiorgio, che pure adeguandosi alla moda era andato in bianco, e vedeva chiaramente il proprio umore virare al nero.

Piergio', mi raccomando. Non dire banalità. Non-dire-ba-na-li-tà. Dignità. Educazione e dignità.

– Importante?

– Per me sì.

E per lui no? Dammi subito l'indirizzo della testa di cazzo in questione che gli vado a spiegare che la fortuna è cieca e che anche lui non ci vedrà bene per un po', dato che qualcuno sta per piantargli due dita negli occhi.

– Non capisco.

Invece capisco benissimo. Da medico, sono abituato ad usare la statistica. E la statistica dice che quando conosci una ragazza meravigliosa otto volte su dieci è fidanzata con un imbecille che non si meriterebbe nemmeno di parcheggiarle la macchina.

– Non c'è molto da dire. È una persona sposata.

Piergiorgio era stato un attimo imbarazzato in silenzio.

– Sì. Adesso capisco.
No, invece ora capisco ancor meno.

E forse, invece, ora Piergiorgio capiva.
Mentre fuori dal finestrino gli alberi scorrevano l'uno dopo l'altro, netti nell'aria limpida del maggio maremmano, Piergiorgio ripensava alla telefonata di due giorni prima.
Quando Margherita gli aveva telefonato, dicendogli che aveva trovato due gemelli omozigoti che avevano vissuto per quasi quarant'anni nello stesso posto facendo due lavori completamente diversi, Piergiorgio aveva letteralmente sentito il cuore battergli più forte per l'emozione. Come un bambino che si vede arrivare a casa lo zio preferito con il regalo di compleanno. Sì, era stato contento di risentire Margherita, certo; ma se avesse dovuto essere sincero, la cosa che lo aveva emozionato di più era sentire che da qualche parte vicino a lui c'erano due gemelli diversi da analizzare. Un maschio, etero e sano di mente, che si emozionava di più per due fratelli sessantenni a cui cavare sangue che non per una ragazza poco più che trentenne che il sangue lo faceva ribollire. Succede, quando fai questo mestiere.
Margherita Castelli, come Piergiorgio, era una ricercatrice. Filologa romanza. Una disciplina umanistica, che a Piergiorgio sfuggiva, così come spesso agli umanisti sfuggono le discipline scientifiche. In realtà, frequentando Margherita, aveva capito che erano più o meno la stessa cosa, ma nella direzione opposta del tempo: lo scienziato cerca di chiarire cose che ancora non

si sanno, l'umanista cerca di chiarire cose che ci siamo dimenticati.

Piergiorgio era un ricercatore. Margherita era una ricercatrice. La prima e principale passione della loro vita era quello. Si poteva avere anche una famiglia, per carità; ne veniva fuori una specie di bigamia socialmente accettabile, con due amori da poter frequentare entrambi alla luce del sole – ma sia chiaro, in questo caso di solito è il coniuge ad essere l'amante. È alla moglie del fisico che toccano vacanze in alberghi convenzionati di raro squallore nel centro di Lione, una settimana a rompersi i coglioni mentre il marito discute di leptoni pensando alla tua amica Marilena che ha sposato un chirurgo e si fa i congressi in Sardegna a fine luglio. Ed è il marito della biologa a dover preparare il pranzo a due bambini il sabato mattina, dopo averli portati in piscina, mentre la moglie è in laboratorio a misurare la crescita delle sue amate celluline che è una cosa che va fatta tutti i giorni e non è che puoi dire alle forme di vita ragazzi un attimo di pausa per il weekend, mamma torna lunedì e vi vuole vedere in forma.

Quando sei un ricercatore vero, uno che non ha orari, che vive con la testa tra le nuvole e che se non parli di equazioni differenziali nove volte su dieci non ti ascolta nemmeno, trovare persone che abbiano così tanta pazienza da essere tua moglie è quasi impossibile, figuriamoci se dovesse essere tuo marito.

E mentre Piergiorgio pensava, il treno iniziò a rallentare in modo percettibile, e inequivocabile.

Campiglia Marittima, stazione di Campiglia Marittima.

– Oooh, meno male che hai ancora il capello viola. Altrimenti non ti avrei riconosciuta.

Margherita, come Piergiorgio aveva sperato, arrivata a mezzo metro da lui lo aveva abbracciato con sincera e piacevole morbidezza, e come lo stesso Piergiorgio aveva immaginato quell'abbraccio non si era protratto un millisecondo più dell'opportuno.

– È fucsia. Comunque, se mi stai dicendo che sono ingrassata, ti informo che da qui a Poggio alle Ghiande sono dieci chilometri.

– Era una battuta. Sei uguale a cinque anni fa.

Anzi, meglio.

A livello cosciente, Piergiorgio aveva visto subito che Margherita sembrava in forma splendida, che gli occhi verdi erano sempre luminosi e ironici e, quando Margherita si era voltata per incamminarsi verso l'uscita della stazione, che il suo culo michelangiolesco continuava umanisticamente a ignorare la importantissima scoperta scientifica nota come «attrazione di gravità».

Quello di cui Piergiorgio non si rendeva conto era che, al momento stesso dell'abbraccio, miliardi e miliardi di piccole molecole chimicamente note come «feromoni» si erano librate in volo dalla pelle di Margherita. Quindi, fluttuando nell'aria con la testarda incoerenza tipica delle specie chimiche, queste molecoline piccole piccole si erano insinuate nelle vie aeree di Piergiorgio, cominciando quasi subito a mandare in giro nei suoi viluppi cerebrali sensazioni di leggerezza, eccitazione, felicità, desiderio, api, fiori e altre cose che non ci sembra il caso di descrivere; tutte immagini e sensazioni, queste, di cui invece Piergiorgio era pienamente cosciente.

Si possono chiudere entrambi gli occhi di fronte a una Venere di Botticelli, e ci si possono tappare le orecchie per nascondere il nostro cervello al canto delle sirene; ma smettere di respirare non si può.

Privarsi dell'aria avrebbe degli effetti collaterali tali per cui sia la scienza medica che il buon senso lo sconsigliano fortemente. Ne consegue che è quindi impossibile ignorare anche i miliardi di piccole informazioni molecolari che sguazzano dentro l'aria che respiriamo, e che ci suggeriscono o impongono di starnutire, ringalluzzirci, provare disgusto, provare trasporto o provarci e basta.

Questo, per la nostra specie, è indubbiamente un bene, sia a breve che a lungo termine. Per Piergiorgio Pazzi, al momento ancora non era chiaro.

– Bravo, dottor Pazzi. So che sei sincero, tanto per te dieci chilometri a corsa cosa vuoi che siano? Le fai ancora le maratone?

– Sì, ma non col trolley – disse Piergiorgio, indicando l'enorme zaino a rotelle che lo seguiva come fidato cagnolino al guinzaglio.

– Ah, hai quello dietro? Due giorni a un'ora da casa e ti porti dietro la valigia? Meno male che la donna sono io.

– Non conosci il mio lato femminile. È un problema?

– Se te lo puoi mettere a spalle come zaino, no.
– Perché, cosa hai nel bagagliaio, un cadavere?
– Per ora no – ridacchiò Margherita, mentre uscivano dalla stazione. – A dire la verità, non ho nemmeno un bagagliaio. Andiamo con quella.

E Margherita indicò a mento fiero verso il parcheggio, dove c'erano alcune automobili, un paio di motorini e una motocicletta di grossa cilindrata. Per procurare una emozione agli amanti del genere, diremo che era una Honda CBR 600 RR: quattro cilindri in linea, cinquecentonovantanove punto sette di cilindrata, iniezione a doppio stadio e rapporto di compressione dodici a uno.

Per procurare un'emozione a Piergiorgio, ma di un altro tipo, bastò vedere che incatenati alla ruota posteriore c'erano due caschi.

Uno

– Sì, quella laggiù. Ci arrivi?

– Ci arrivo, ci arrivo. Guarda, un attimo solo e vualà.

Si udì uno scatto di lame, e il ramo di alloro cadde ai piedi di Riccardo Maria, subito raccolto da Giancarla che lo appoggiò poi con delicatezza in una cesta di vimini stracolma di erbe, ciuffi, foglie e varie altre forme vegetali. Di ognuna di quelle piante, Giancarla Bernardeschi avrebbe potuto enunciare correttamente nome volgare e nome scientifico, per poi passare ad elencare le componenti chimiche più significative e infine arrivare alla cosa veramente importante, cioè le ricette in cui erano indispensabili.

– Ma era veramente necessario?

– Se mi stai chiedendo se è necessario l'alloro per fare l'arista manco ti rispondo. Se invece vuoi sapere perché volevo proprio quel rametto lì...

– Esatto, brava, quello –. Riccardo Maria posò le cesoie e riprese in mano il libro. – Siccome siamo circondati da siepi d'alloro e te m'hai fatto prendere quello più irraggiungibile, volevo sapere se c'era una ragione o se volevi solo guardarmi i muscoli.

Giancarla ridacchiò, mentre Riccardo tentava di ricoprirsi la larga parte dell'ancor più largo deretano che aveva lasciato scoperto e indifeso nello sporgersi, con risultati estetici decisamente scadenti.

Il fatto è che la maglietta e i pantaloni che aveva Riccardo – tutto vestiario ufficiale di scuderia – erano come minimo quelli dell'anno prima, mentre Riccardo era chiaramente nella versione dell'anno dopo, capodanno incluso.

Riccardo, del resto, era capo meccanico di reparto corse, e passava gran parte dell'anno tra motori, che amava, asfalto, che non disprezzava, e piloti, che invece detestava, e che cambiavano ogni anno, quasi sempre in peggio. E, quando era in vacanza, si rilassava, da tutti i punti di vista. Te Riccardo fai come gli alberi, gli aveva detto una volta il Della Rosa, ogni quattro stagioni metti su un rotolo nuovo. Io, maestro Della Rosa, faccio un po' come cazzo mi pare, gli aveva risposto Riccardo annuendo, casomai quando mi fai il ritratto te lo pago al chilo, intanto passami le patate.

– C'è sempre una ragione per quello che faccio, Riccardo. O almeno, spero.

– No, no, lo so. E t'ho capito, per carità, però non credo ci siano pericoli. A parte che siamo vicino a casa, ma comunque Raimondo pesticidi non ne usa, però magari te dici che in alto....

Giancarla scosse la testa, con un sorriso a labbra tese. Tipico, pensò la donna. Sei una chimica, quindi le tue ragioni sono ragioni chimiche. Vedi molecole dappertutto. Vero che Giancarla Bernardeschi aveva passato la vita a pensare al mondo in termini di molecole, e a descrivere il mondo con un vocabolario fatto di molecole, ed ormai quella era una seconda natura. Però, al tempo stesso, era un essere umano.

– I pesticidi che può usare Raimondo sono carezze rispetto a quelli che le piante hanno già di loro. Lo sai, vero, che anche le piante producono pesticidi da sole?

– Certo – mentì Riccardo. – Però è roba naturale. All'uomo non dovrebbe fare male, o no?

– Manco per idea. Anche i pesticidi naturali delle piante sono roba che non ha pietà. I più potenti agenti cancerogeni a livello molecolare sono le aflatossine, che non sono altro che i pesticidi di default delle arachidi. Tieni conto solo di questo: il cinquanta per cento dei pesticidi di sintesi sono cancerogeni, e ugualmente il cinquanta per cento dei pesticidi naturali, che la pianta sintetizza da sola, sono cancerogeni. Però di pesticida di sintesi ce ne metti un velo, mentre invece la pianta è farcita. La proporzione è di diecimila a uno, o giù di lì. Se ti fanno paura i pesticidi smetti di mangiare qualsiasi cosa cresca in terra, pur biologica che sia, e datti alle alghe.

– Preferisco il cancro. E allora, l'alloro?

– La ragione, caro mio, è che questo qui è un alloro maschio, mentre quelli piantati di là sono piante femmina. E secondo me hanno un gusto migliore. Più delicato, meno aggressivo. Sempre alloro, ma più gentile.

Un po' come Giancarla stessa, venne automatico di pensare a Riccardo. Con quei tailleur color caffellatte pallido, lisi e rassegnati a coprire e non più a sottolineare, e il sorriso sfuocato tipico di quelli che pensano che sì, da giovane tante cose mi divertivano parecchio, ma ormai. E quelle mani inquietanti, che uscivano dalle maniche del golfino di lana. Due granchi di ciccia dalle dita tozze, coi pollici delle unghie quasi inesistenti, e dalle proprietà termomeccaniche oltre i limiti dell'umano. Riccardo l'aveva vista con i suoi occhi prendere i ricci di mare a mani nude, e il maestro Della Rosa sosteneva che Giancarla sarebbe stata in grado di scolare la pasta intrecciando le dita, bastava che qualcun altro tenesse la pentola. Pure aveva avuto un marito, e dei figli, e anche se su quell'aspetto Riccardo propendeva fortemente per la partenogenesi ciò nonostante la realtà era che Giancarla, che aveva sempre fatto il chimico, era pur sempre una femmina.

– Ah. Esistono anche le femmine d'alloro?

– Le femmine, caro mio, sono dappertutto.

– Dillo a me che mi chiamo Riccardo Maria. Insomma, stasera arista e poi?

– Arista di secondo. Di primo pici coi bricioli.

– Ah, bene. E il chicco?

– C'è, c'è. Ha detto la Cristina che fa la crescionda.

– E quanti siamo?

– Hai paura di digiunare?

– No, volevo solo capire se c'eravamo tutti. Cioè, a dire la verità volevo capire anche perché ci avevano invitato a cena –. Pausa. – Anche se temo di saperlo –. Ripausa. – Cioè. Nel senso, non è che uno...

– Io so solo che l'offerta è stata fatta. So che l'offerta è grossa. E so che non hanno ancora preso una decisione.

– E come fai a sapere che l'offerta è grossa?
– Guardati intorno.
Riccardo Maria non avrebbe avuto bisogno di guardarsi intorno.
Sapeva benissimo che a ovest, verso il Tirreno, avrebbe visto una distesa di pini marittimi secolari che accudivano con la loro ombra una stradina che portava alla spiaggia. E che a est, invece, gli avrebbero sorriso con aria complice le colline morbide di Castagneto, un capolavoro di verdi e marroni capace di ispirare una bella poesia persino a Giosue Carducci. Ciò nonostante, si guardò intorno lo stesso.
Aria limpida. Profumo di mare. Silenzio. Un silenzio che si vedeva.
Per uno che viveva sei mesi l'anno ai box, tra rumore, puzzo di gomme, rumore, ragazze che sorridono solo in pubblico, rumore, maschi alfa ipercompetitivi che pur di arrivare dodicesimo invece che tredicesimo – rumore – ucciderebbero il proprio padre e lo servirebbero arrosto... Sì, insomma, per Riccardo quello era il paradiso in terra.
– Sei in una delle più belle tenute dell'Alta Maremma – confermò Giancarla mostrando a Riccardo il panorama, come se avesse scelto personalmente lei i colori. – Sei a un chilometro dal mare e a un chilometro dalle colline. Uno dei due proprietari è un broker, l'altro è un collezionista d'arte, tutti e due hanno senso degli affari e nessuno dei due è esattamente povero. Tu tenteresti di comprarla a poco?
– Su questo non ho tutte le tue sicurezze, sai, Giancarla. Prima di tutto, se fossero ricchi come dici non

avrebbero bisogno di invitarci a cena e di far cucinare te e Cristina.

– È tradizione, ormai.

– È tradizione anche il burka. Se sei d'accordo fammelo sapere. E poi, mi sembra che le cose stiano un po' accelerando. Sono arrivate anche delle persone a fare delle rilevazioni. Non so te...

– Non so te?

– Non so te, ma io sono preoccupato.

– Preoccupato? Non preoccupato per lavoro, no, signora, per niente. Piotr ha fatto sempre il suo lavoro, signor Alfredo e signor Zeno mi conoscono. Tutto quello che Piotr può fare, Piotr lo fa. Tutto quello che Piotr non può fare, ci pensa la Santa Vergine, ho ragione?

Senza guardare, allargando le mani, Cristina tentò di rispondere a una domanda che riteneva molto meno retorica di quanto quell'altro pensasse.

– Certo, Piotr. Però un conto è Alfredo, un conto è Zeno, e un conto sono questi cinesi. Se, e dico, se, dovessero comprare tutto, i padroni diventano loro...

Scuotendo con energia il testone, Piotr fece capire che non era d'accordo.

– Cinesi non mi piace. Loro non sopporta religione. Anzi, loro proprio non sopporta religioni, di qualsiasi specie. Guardi cosa hanno fatto in Tibet, a monaci. E cose tremende che fanno a preti. Torture, prigioni. Questo a casa loro. Poi viene qui, da noi, e comporta bene. Sempre gentili, educati, sorridono. Ma a casa loro, lasciamo perdere. Sa dove mettono cristiani in Cina? In campi di concentramento. Laogai, li chiamano. Cose da comunisti, e io lo so cosa fanno i comunisti a persone religiose. Ho visto cose in mio paese che lei non crederebbe –. Piotr levò le mani di tasca e le allargò. – Di lavoro, quello no, non mi preoccupo. Cinesi, giapponesi, coreani, frega poco. Tutti hanno bisogno di ordine e pulizia, dico bene? E allora non credo che si mandi via Piotr, non credo proprio.

Su quello in cui Piotr Kucharski non credeva, ci sarebbe da descrivere molto poco. Su quello in cui credeva, a partire da Dio Padre Onnipotente per finire con tutta una teoria di santi, beati, martiri e altri venerabili per conto terzi, con posto d'onore per la Santa Vergine di Czestochowa, parlava talmente tanto lui che qualsiasi altra parola sarebbe ridondante.

– Ma speriamo, Piotr – disse dalla cucina con la sua bella voce morbida di basso il maestro Della Rosa. – I giapponesi sono il popolo più pulito dell'universo, ma i cinesi dice che siano piuttosto sudici. Di sicuro, sono tutti atei. La civiltà orientale per certe cose va lasciata stare.

– Anche gli atei devono obbedire alla volontà di Dio, signor Enrico. Tutti. Anche cinesi e giapponesi.

– Anche i negri? – chiese il maestro Della Rosa, mentre la moglie lo guardava male.

– Anche i negri, e anche i russi.

Inutile fare appello a sentimenti, ragione o qualsiasi tipo di ragionamento dialettico: Piotr Kucharski, nello stabilire le linee guida del suo comportamento e quello che era lecito attendersi nel futuro, stava a sentire solo Dio e la Madonna. La notevole coincidenza che Nostro Signore e Signora avessero esattamente le sue opinioni su qualsiasi problema ponesse loro, purtroppo, non lo aveva mai incuriosito, e il fatto che il suo Dio fosse vendicativo, schizofrenico e anche decisamente razzista non lo turbava minimamente; per accorgersene avrebbe dovuto pensare, il che non era esattamente la sua specialità.

– Ascolta, Piotr, una cosa... – disse la signora Cristina, rinunciando a tentare di appiccare il fuoco al marito con lo sguardo.

– Dica, signora.

– Se tu potessi non usare la varichina quando pulisci la cucina, te ne sarei grata. Domani arrivano i ragazzi, e a Lindsy dà molto fastidio.

– Varichina ci vuole, signora. Per disinfettare.

– Preferirei che tu usassi qualcos'altro.

– Posso usare alcol denaturato – propose Piotr.

– Gettare alcol sul pavimento? – chiese il maestro Della Rosa entrando in cucina, e facendosi così vedere. – Da te non me lo aspettavo proprio, via. Per un polacco questo è uno spreco.

Alto, magrissimo, canuto, barbetta caprina e naso aquilino, il maestro Della Rosa a prima vista faceva pensare a un Mefistofele invecchiato bene; impressione accentuata da varie altre caratteristiche, come il bastone di acacia con pomolo d'argento (il maestro era zoppo), il cappotto nero e lunghissimo con cui si ammantava da settembre a maggio (il maestro era molto freddoloso) e le istoriatissime bestemmie in cui si produceva ogni qual volta un allievo sbagliava la diteggiatura (il maestro era ateo, ma questo presumibilmente lo sospettavate già).

– Io sono astemio, signor Enrico.

– Male, Piotr, male – disse il maestro cominciando a salire le scale per andare nella camera della musica. – Almeno tu bevessi, avresti un pretesto. Via, io vado a comporre un pochino.

E scomparve, lento ma deciso, verso l'alto.

– Allora, signora, passo tutta la casa domani mattina. Altro da fare?

Cristina sospirò lievemente, poi riportò gli occhi dall'altissimo marito al bassissimo personaggio che le stava di fronte.

– No, Piotr, grazie. A domani, e buona giornata.

– A lei, signora.

E, con l'aria umile di chi si sa vittima della cattiveria del mondo, Piotr aprì la porta e se ne andò strascicando i piedi.

Dopo qualche secondo, Cristina si avviò a passo deciso verso le scale.

– Certo che sei una bestia.

Cristina Salitutti, da giovane, era stata una donna di una bellezza sfolgorante; e anche adesso, a settant'anni passati, non passava inosservata, principalmente a causa degli occhi. Due occhi azzurro scuro con le pupille nere che in questo momento, mentre guardavano il marito, erano grosse come i forellini di un cracker.

– Sempre saputo – rispose il marito, che era in grado di sopportare ben altre intensità di osservazione. – Io sarò una bestia, ma lui è un beota. È inutile anche parlarci.

– Ci hai mai tentato?

– Discutere con un idiota è come tentare di scolpire una merda. È difficile, sgradevole e non otterrai mai un gran risultato. E il caro Piotr, che la Madonna lo conservi vivo, in salute e lontano da me, è un idiota.

C'erano altre caratteristiche di Cristina che invece erano andate gradatamente perdendosi con l'età. Come il tocco sul violino, che ormai a causa dell'artrite era sempre più faticoso, e come la capacità di sopportare il marito quando si comportava in quella maniera.

Nata nobile, e di animo nobile, Cristina Salitutti era una di quelle persone che apparentemente avevano avuto tutto dalla vita. Era cresciuta in una casa ricca, era stata una delle violiniste più stimate d'Europa, aveva amici in quasi tutto il mondo e aveva sempre avuto una salute di ferro.

– È la persona che ti pulisce la casa – fece notare Cristina, col tono di quello a cui tocca essere razionale. – Ivi inclusi la tazza del cesso e gli altri posti che lasci come lasci. L'altro giorno in bagno c'erano peli e sangue da tutte le parti, sembrava che in bagno ci avessero macellato un cinghiale.

– Capita quando ti fai la barba.

– Capita quando ti fai la barba una volta al mese. Capisco che quando siamo qui ti rilassi, ma... E comunque non cambiare discorso. Magari sarebbe meglio un po' di rispetto per la persona che ti pulisce la casa.

– Vero. Mi pulisce la casa. E per questo lo pago profumatamente, mentre lui invece mi va nel culo e me la appesta con le sue pozioni chimiche. L'altro giorno c'era un puzzo di varichina da sverniciare i mobili. Quanto ci scommetti che domani adopra la varichina?

Cristina guardò il marito tentando di mantenere in faccia una parvenza di gelo.

Il tentativo durò circa mezzo secondo.

Poi, scappò il sorriso. Quel genere di sorriso amaro che può nascere solo quando un tormento diventa un tormentone, e puoi solo riderci su, perché sennò ammazzi qualcuno.

– Il problema, Enrico, è che magari la gente non lo capisce che scherzi – disse Cristina con tono dolce, dopo qualche secondo.

– Sulla varichina non scherzo affatto.

– Non sto parlando della varichina.

– Se qualcuno che ci conosce crede che possa usare la parola negro in senso razzista, mi corre l'obbligo di farti notare che è un coglione. Ci sono alcuni particolari piuttosto vistosi che dicono il contrario. Sulle altre cose, lo sai come la penso.

Cristina rimase un attimo in silenzio, guardando il marito. È vero, su questo Enrico era stato sempre coerente. Io piglio per il culo le persone, appena le conosco. Se capiscono che le sto pigliando per il culo, bene. Vuol dire che sono persone intelligenti. Esattamente il contrario del mondo in cui Cristina era cresciuta, fatto di salamelecchi in pubblico e di pura indifferenza in privato.

Il fatto che Cristina si fosse innamorata di Enrico Della Rosa più o meno sei minuti dopo averlo conosciuto, e lo avesse sposato sei mesi dopo alla veneranda età di diciannove anni, è abbastanza eloquente di quanto nascere in una casa ricca non sempre sia sinonimo di vita facile. E il fatto che i loro due adorati figli si chiamassero Mamadou e Amisha, e che fossero entrambi color cioccolato al latte, rendeva evidente che nella vita Cristina aveva avuto i suoi problemi anche una volta andata via di casa.

– Allora puoi anche smetterla di prendere in giro Piotr. Visto che hai stabilito che è coglione....

– Ah, mai mettere limiti alla divina provvidenza. Sai, di allievi duri come i muri ne ho avuti, e qualcuno ha anche imparato a suonarlo, il flauto.

– Quanto sei buono. Speri che migliori, via.

– Peggiorare la vedo difficile.

– Difficile.

– Difficile da raggiungere?

– Difficile che qualcuno ci vada.

L'ingegner De Finetti, guardandosi intorno, sembrò spaesato.

– E perché?

– Per via che c'è il botro.

– Come?

– C'è-il-botro – ripeté Raimondo, evidentemente convinto che scandendo le parole meglio l'ingegnere avrebbe capito. – Se uno vòle arrivare al mare prende il viottolo sotto 'pini, se è a piedi. Se è in biciretta, prende lo stradello accanto al Ciglieri. Di là 'un ci passa nessuno. C'è il botro.

Anche a guardare da lontano, si vedeva subito che una coppia del genere era fatta per non capirsi.

L'esemplare A, quello più basso, aveva la tipica livrea primaverile da ingegnere: spolverino leggero sopra l'irrinunciabile giacca con cravatta abbinata al calzino, che manteneva in relazione il piede con l'elegante scarpa inglese in cuoio con mascherina forellata. L'esemplare B, quello più alto, aveva un aspetto molto più casereccio: stivali di gomma, pantaloni di colore indefinibile ma che come minimo avevano visto un paio di guerre mondiali, e camicia nera arrotolata sulle maniche.

– Ho capito – disse l'ingegnere. – Ma si può andare a vedere, o no?

– Vestito a cotesto modo no. C'è il botro.

– Ho capito – ripeté l'ingegnere, stavolta più sincero. Si vede che il botro era un corso d'acqua. – E ce ne sono altri, di posti difficili da raggiungere?

– Parecchi.

– E quando ci potremmo andare?

– Si fa prima a descrivelli che a andacci – disse Raimondo, grattandosi una grossa bolla violacea sulla mano sinistra. Che pur essendo brutta a vedersi non era l'aspetto più inquietante dell'uomo. E nemmeno il fatto che un dito della stessa mano – il mignolo – mancasse quasi completamente, un moncherino inutile di falange che si muoveva a tempo con le altre dita. Insomma, una mano sinistra a tutti gli effetti.

No, la cosa più inquietante era l'espressione facciale.

L'ingegner De Finetti sospirò.

Fin dal primo momento in cui aveva fatto la conoscenza con Raimondo Del Moretto, l'ingegnere aveva capito che andare d'accordo con quel tipo sarebbe stato arduo. In teoria, Alfredo e Zeno Cavalcanti gli avevano fatto una cortesia, assegnandogli una persona che gli facesse visitare la tenuta; qualcuno che in pratica gli facesse da cicerone. Solo che questo tizio, più che Cicerone, all'ingegnere ricordava parecchio Catilina.

Alto, magro, con l'espressione di uno a cui hanno puntato una lampada in faccia, occhi a fessura, labbra strette e denti chiusi, che non si aprivano nemmeno parlando. La faccia di uno che ha vissuto ottant'anni nello stesso bugigattolo, che ha passato le sue giornate a rivoltare le zolle e a contare le pecore, e a zolle e pecore ragionava.

– Lei vive qui da sempre, Raimondo? – buttò lì l'ingegner De Finetti, nel tentativo di riuscire a aprire una breccia in quel muro di diffidenza.

– Dar millenovecentosettantotto. Son quasi quarant'anni.

E come minimo è da allora che non fai il bagno. Anche all'aria aperta, l'ingegnere non poteva sfuggire all'afrore penetrante di Raimondo. Un misto di terra, muffa, sudore e altra loia assortita che, in un certo senso, completava Raimondo, rendendolo sgradevole da tutti i punti di vista possibili.

– E ha sempre fatto il contadino?
– Sempre. Lo facevo prima, dalle mi' parti, e lo faccio qui. Ormai faccio tutto come si fa qui. Ho imparato anche a discorrere come si discorre qui.
– Perché, lei non è maremmano?
– Io son dell'Emilia. Di Sanguigna.
– Ah, Sanguigna. Subito accanto a Modena. Conosco. Ci ho trattato una bella fattoria, tanti anni fa. La Grancia dei Monaci, si chiamava. Lei stava là, per caso?
– Io stavo in manicomio.
– Come?
– In manicomio. A Reggio Emilia. Poi ner settantotto l'han chiuso. E ora son qui.
Era meglio se stavo zitto.

– No, no. Assolutamente zitto. No. Su questa cosa, lei mi perdonerà, ma devo, lei capirà, stare assolutamente zitto.
Figuriamoci, pensò la Marangoni cercando di non guardare in direzione del sedile del passeggero, questo tizio che sta zitto.
– Io poi del resto, non creda, sono solo un tecnico – continuò l'architetto Giorgetti. – Il mio dovere è solo quello di valutare gli immobili per conto della controparte. Cioè la SeaNese. Cioè il signor Chen Longcan, che ignoro che aspetto abbia e per quanto ne so io potrebbe anche non esistere, ma essendo che finora mi ha sempre pagato puntualmente ci importa anche una sega. Sa, io sono di Lucca, per noi certe cose hanno importanza.

E dopo questa provvisoriamente ultima osservazione, l'architetto iniziò a schiarirsi la gola. Lo avrebbe fatto tre volte; poi, avrebbe chiuso due volte l'occhio sinistro, due volte l'occhio destro e quindi, ormai la Marangoni poteva scommetterci il gatto, avrebbe fatto scrocchiare le vertebre del collo prima di qua, e poi di là.

Non che questo fosse l'unico tic del tizio, eh. Era solo quello più vistoso.

Già quando era salito in macchina, l'architetto Giorgetti aveva esordito aprendo lo sportello della macchina con la mano sinistra, poi lo aveva richiuso e infine lo aveva riaperto con la mano destra. Solo a quel punto era salito, seguito da una Marangoni un poco insospettita, ma ancora lontana da quello che sarebbe diventato di lì a poco un vero e proprio sgomento.

Perché questo tizio non si fermava e non si chetava mai. Mai.

– Comunque, sono veramente curioso di vedere la proprietà, veramente curioso. Lei la ha mai visitata tutta?

– No, mi spiace. Tutta no.

E nemmeno tanta. L'unica volta in cui si era inoltrata nella tenuta era stato tre anni prima, quando era scappato il gatto. Per ritrovarlo Anna Maria Marangoni aveva girato per ore nel folto della pineta agitando una scatola di croccantini, e prima di riacchiappare la bestiola le era toccato interagire con un numero indecente di animali non richiesti, come rane, zanzare, tafani e Raimondo che pisciava su un albero, e che alla domanda scusi Raimondo ha mica visto il mio gatto aveva risposto no ma se lo vedo lo faccio in umido.

– Non che la tenuta faccia parte dei miei compiti, eh, perché io in teoria mi dovrei occupare solo degli immobili. Però venire qui e non fare un giro sarebbe un peccato. E la collezione, la collezione di Zeno Cavalcanti l'ha mai vista?

– Qualcosa, sì.

– È vero che ha anche un Segantini?

– Credo di sì.

Ma che ne so di cosa tiene in bella vista quel vecchio finocchio borioso. Se mio marito fosse ancora qui, lui sì che le saprebbe dire vita morte e miracoli di ogni singolo troiaio appeso ai muri, di ogni statuetta piazzata in ogni possibile mattonella di superficie calpestabile, e di tutti gli altri oggetti che venivano definiti «arte» solo da chi li ha fatti e da chi li ha comprati. La Marangoni ricordava ancora l'imbarazzo che aveva provato quando aveva appeso il cappotto a un coso che sembrava un attaccapanni ed era messo in una posizione tale da essere immediatamente individuabile come attaccapanni, e aveva scoperto di aver messo l'indumento su un preziosissima opera della piena maturità di Bruno Munari intitolata *Macchina inutile n. 5*. Be', almeno gli aveva trovato un utilizzo.

– Sarei curioso, sì, sarei curioso. Presumo che si presenterà l'occasione, anche perché insomma, una collezione vera è un qualcosa che si mostra sempre volentieri, credo. Credo, eh, perché io non potrò mai permettermi...

Ma certo che te la mostra. Come la mostrava a ogni singolo ebete pronto a sdilinquirsi e ad andare in brodo di giuggiole per un divano fatto di cazzi di gomma assemblati, che se ci fosse sempre mio marito glielo additerebbe e le direbbe ridacchiando mi raccomando non si sieda lì che è duro.

Ma mio marito non è più qui.

Se n'è andato, il porco. Se n'è andato con una sua dottoranda, ventisei anni più giovane. Lei ventisette e lui cinquantatré, si vede che le piace moscio, alla baldracca. E lei era rimasta sola, con un gatto e una casa al mare che detestava, nella quale faceva fatica ad ammettere di essere stata felice, e che in fondo detestava proprio per questo. Una casa dove, però, anche quest'estate era tornata.

– ... e comunque una vita ben spesa, questo è certo. Ma, mi dica, è vero che Zeno Cavalcanti ha un fratello gemello?

– Alfredo, certo. Ci sarà anche lui stasera.

– E sono proprio uguali? Monozigoti, intendo?

– Assolutamente.

– Quindi anche lui si interessa di arte?

– No, assolutamente no. Lavora per una banca d'affari.

– Ah però. Proprio completamente diverso.

Assolutamente. Alfredo era un vero uomo. A parte che, pur essendo lui e Zeno gemelli omozigoti, Alfredo era di aspetto decisamente piacevole, mentre Zeno era impresentabile. Sarà che Alfredo era sempre vestito con proprietà, mentre l'altro andava in giro in tuniche e caffetani. E poi Alfredo, oltre che affascinante, era una persona affidabile, concreta, solida.

Una persona su cui si poteva contare.

Se ancora qualcuno non l'avesse capito, credo sia opportuno precisare che è stato appena descritto il motivo per cui Anna Maria Marangoni, anche quest'estate, era tornata a Poggio alle Ghiande.

Due

– Allora, eccoci qua. Poggio alle Ghiande. Come ti sembra?

Piergiorgio, con la testa ancora dentro il casco, disse qualcosa di difficilmente comprensibile.

– Se parli con l'accento di Darth Vader non capisco – disse Margherita, mettendo la moto sul cavalletto.

– Dicevo – disse Piergiorgio dopo essersi tolto il casco – che appena il prato si fermerà e smetterà di ruotare ti potrò dare una valutazione più obiettiva.

– Dai, che la strada era tranquilla. Hai avuto problemi?

La strada, era tranquilla. Ma io non ero sulla strada, ero in moto con una pazza scatenata che prendeva ogni curva come se avesse perso un orecchino e dovesse cercarlo sull'asfalto, peccato stesse andando a centoventi all'ora. E io dietro, senza alcuna possibilità di controllo, su un sellino grosso come una busta da lettera, con le ginocchia in bocca e lo stomaco fra i denti, a chiedermi se per caso non c'era il rischio di soffocare se vomitavo dentro il casco.

– Diciamo che sono più un tipo da velocità controllate.

– Dai, che sei nel paradiso del podista. Qui sì che puoi correre, altro che viale delle Piagge.

Sì, in effetti.

Già il parcheggio dava un'idea del posto in cui era appena arrivato. In qualsiasi altro luogo di quelli che Piergiorgio frequentava, uno spiazzo erboso circondato da siepi di alloro potate perfettamente e ombreggiato da una cinquantina di alberi sarebbe stato un giardino. Qui, era il parcheggio.

– Che alberi sono, questi? – chiese Piergiorgio, indicando uno degli ombrelloni biologici che rinfrescavano l'erba. Un fusto dritto, spesso, privo di diramazioni, che a un certo punto si gonfiava e debordava come una specie di capitello ligneo, dando quasi l'impressione che gli avessero conficcato i rami dentro a forza dopo averlo potato.

– Gelsi, sono. Gelsi neri.

– Come, gelsi? – Piergiorgio ridacchiò. – Questa è pubblicità ingannevole. Mi hai fatto una testa così con Poggio alle Ghiande. 'Ste ghiande dove sarebbero?

– Là.

– Là?

E Piergiorgio guardò al di là della siepe, dalla quale, oltre i campi coltivati, si vedeva una infinita distesa di foglie che ammorbidivano le colline.

– Là. La tenuta arriva fino alla collina di Castagneto, e sono tutte querce e roveri. Di qua, invece, sono pini marittimi, e arrivi al mare.

– Ah. E nel parcheggio gelsi. Buoni, fra l'altro. Ci si fa la granita.

– Per quello devi chiedere a Giancarla –. Margherita indicò verso un edificio dall'intonaco giallo pallido, con gli infissi rossi. – Il cognome non me lo ricordo, ma è quello di un giocatore della Fiorentina.

– Bernardeschi?

– Bravo, proprio quello. La conosci?

Piergiorgio scosse il capo.

– No, ma che si chiamasse Giancarla Tomovic era improbabile. Sai, nella Fiorentina-tipo di italiani ce ne saranno tre, e se tu te ne ricordi il cognome vuol dire che è piuttosto noto. Il resto sono tutti balcanici, e qualche spagnolo. Comunque Bernardeschi è andato alla Juve, lo hanno venduto quest'estate.

– Ti vedo preparato.

– Ahimè sì. Guarda, evitiamo di parlare di questo Bernardeschi, ti prego. Parliamo della tua. Quella che fa la granita di gelsi, dicevi.

– E non solo. Distilla qualsiasi cosa le capiti sotto tiro.

Piergiorgio grugnì. Di regola, dubitava dei liquori fatti in casa. Da adolescente, si ricordava il mefitico limoncello fatto in casa dalla zia Anita, che suo padre sosteneva essere talmente buono da ridare la vista ai sordi. Nel senso che era un normalissimo liquore fatto in casa, che come unica caratteristica distintiva aveva un grado alcolico indecente, ma siccome siamo persone educate bisogna magnificarlo sennò si offende.

Margherita lo guardò con un lampo di malizia.

– Tranquillo, la Giancarla non è una di quelle che ti fa assaggiare sedici tipi di distillati fatti in casa per forza. È una professoressa di chimica in pensione, e sostiene che la chimica e la cucina sono praticamente la stessa cosa, in chimica basta solo ricordarsi di non assaggiare alla fine. Comunque, come cuoca la giudicherai stasera tu stesso.

Ma come fa 'sta tizia a capire cosa penso, nel momento stesso in cui lo penso?

– Ah, quindi siamo a cena da lei?

– No, stasera siamo a cena tutti insieme. A quanto ho capito, questa è una specie di piccola comunità. Sai, sono persone che passano qui le vacanze da millenni, alcuni sono molto uniti tra loro. E poi, a quanto ho capito, stasera i due fratelli devono affrontare un discorso piuttosto importante con tutti gli altri.

– Discorso importante?

Nel frattempo, camminando, erano arrivati a un portoncino di legno scuro, vecchio ma ben tenuto, con una serratura nuovissima e perfettamente lucidata. Margherita si guardò intorno, poi guardò Piergiorgio.

– Senti, vuoi andare su in camera subito o ti va una passeggiata?

– Passeggiata, passeggiata. Fammi solo posare lo zaino.

Ci sono persone con cui parlare è un piacere unico. Sono le persone che sanno quando è il caso di parlare.

Quelli che, oltre ad udire quello che dici, lo ascoltano e lo comprendono al volo, e vanno oltre, usando quello che dici come tessera di un domino, in una partita amichevole in cui il risultato non conta, e di cui entrambi i giocatori sono in grado di riconoscere la fine, oltre all'inizio.

Margherita, pensava Piergiorgio, era una di queste.

– Allora, ti dicevo – disse Margherita, calpestando un ramo secco. – Praticamente, a quanto ho capito, la tenuta potrebbe essere in vendita.

– Potrebbe? – chiese Piergiorgio, guardandosi intorno, mentre la pineta sembrava dire che assicurava loro la massima discrezione.

Se fosse stato da solo, sicuramente Piergiorgio avrebbe incominciato a valutare la qualità del suolo, la eventuale presenza di buche, la lunghezza e la tortuosità del tragitto, l'intensità dell'ombra e tutte le altre cose necessarie per pianificare un bell'allenamento da un'oretta e mezzo. Siccome c'era Margherita, lo faceva lo stesso, ma in sottofondo e distrattamente.

– C'è questa holding cinese, la SeaNese, che vorrebbe comprare la proprietà e farne una specie di agriturismo-villaggio vacanze per cinesi ricchi. Che pare inizino ad essere un certo numero.

– Sì, credo di sì. Il che temo significhi che i cinesi che continuano ad essere poveri sono molti di più. Altro che villaggio vacanze, benvenuti nel villaggio globale. Comunque, i proprietari che ne dicono?

– È questo il punto. I proprietari sono due. Zeno Cavalcanti, che è la persona per cui attualmente lavoro, e suo fratello Alfredo. Proprietari al cinquanta per cento o giù di lì.

– Vediamo se indovino: uno è favorevole e l'altro è contrario. Son genio, vero?

Margherita si chinò un momento, raccolse un dente di leone da una piccola macchia erbosa vicino al sentiero e soffiò via i petali con un'espressione da bimba concentrata – l'unica espressione adeguata quando si soffia un dente di leone, a noi sembra una cosa da nulla ma se uno pensa ai denti di leone che ha inconsapevolmente contribuito a piantare quando era piccolo si ha quasi la sensazione di servire a qualcosa in questo mondo.

– Fai impressione – rispose, guardando le lancette del soffione che si paracadutavano lontano. – Ti chiamerò Piergiorgio da Vinci. Sì, è così. Zeno non ha la minima intenzione di vendere, mentre Alfredo non vede l'ora di liberarsi della sua quota. Purtroppo, ai cinesi la mezza torta non interessa, o tutto o niente. E quindi, è un casino.

– E i due fratelli, come sono tra loro?

– No, per quello sono due persone civili. Stanno cercando di trovare una soluzione. Infatti, a quanto ho capito, stasera chiederanno agli affittuari anche la loro opinione. Fantastico, però, che due gemelli siano così diversi.

– Ecco, questo mi interessa. Quanto diversi, esattamente?

Margherita si chinò un momento per raccogliere un altro dente di leone.

– Giorno e notte. Zeno, la persona per cui lavoro, è un critico d'arte. E un collezionista, ma di quelli veri. Ha una collezione che è un racconto, un percorso di vita, non un cumulo di macerie rutilanti. È un personaggio un po' fuori dal tempo, magari, per certe cose. Molto dandy, ma di tipo esoterico. Un po' di pose, magari. Ma ha un gusto e una competenza veramente incredibili, e si vede dal fatto che quando ha avuto il sospetto che una serie di oggetti che gli hanno proposto fossero falsi ha chiesto un parere a chi lo poteva aiutare.

Mentre parlavano, Margherita aveva tirato fuori di tasca un pacchetto di tabacco, e continuando a camminare aveva cominciato ad arrotolarsi una sigaretta con dita esperte. Piergiorgio la guardò qualche secondo, quasi ipnotizzato. Se camminava, Piergiorgio non era in grado di fare praticamente nessun gesto complesso con le mani; avrebbe avuto bisogno di fermarsi, per non dire di sedersi, altro che camminare. Una dura realtà che gli si era rivoltata contro infinite volte. Come quando, durante la sua prima maratona, aveva afferrato correndo un bicchiere di tè al punto di ristoro e aveva tentato di berlo continuando a correre, come i professionisti, rischiando così di diventare il primo maratoneta della storia a morire per annegamento.

– Cioè tu – riprese Piergiorgio dopo qualche secondo. – E come lo puoi aiutare?

– Come filologo. Lo aiuto tentando di ricostruire, sulla base delle lettere e delle commissioni autografe dell'epoca, se è possibile che un dato pittore abbia dipinto quel dato quadro di quelle dimensioni e soggetto. E cercando di capire se i documenti sono autentici e precisi, il che per un oggetto settecentesco è roba da dare la testa nel muro.

– Capito, più o meno. E tornando al mio, di lavoro, Alfredo?

– È un broker. O comunque uno che lavora nel campo della finanza. Uno squalo in doppiopetto di Caraceni. Educato, sorridente, a volte quasi paterno. Però il fiume è mio, e del fosso si fa a mezzo. Insomma, te l'ho detto: diversi, completamente diversi. Giorno e notte.

– Mica tanto – rispose Piergiorgio, guardando il sentiero. – Mica stiamo parlando di un puttaniere alcolista e un monaco Shaolin. Mi hai descritto due persone determinate e di successo. Mi hai descritto due persone che hanno entrambe fatto i soldi comprando e vendendo nel campo che le appassiona.

– Quanto al fare i soldi, se non ho capito male Alfredo è bravo anche a perderli – rimbeccò Margherita, mentre rufolava in tasca, presumibilmente alla ricerca dell'accendino. – Poi, altra cosa, uno adora la casa dove è nato, e l'altro la venderebbe prima di ieri.

– Vedi? Decisi e determinati.

Fra l'altro uno in questa casa ci avrà sempre vissuto, bella mia, ma non credo che un broker possa passare tutta la vita a Poggio alle Ghiande. Di solito i broker fanno il nido fra i grattacieli, non fra le querce.

– Sì, da quel punto di vista...

– Anche da altri, probabilmente. Non hanno mezze misure. Le cose, o si fanno bene o non si fanno. A proposito, che stai facendo?

Margherita, che nel frattempo aveva tirato fuori un pacchetto di fiammiferi, rimase per un attimo interdetta.

– Mi accendo una sigaretta.

– Ma non eri vegetariana?

Margherita guardò Piergiorgio come chi sa che sta arrivando una presa per il culo, ma non esattamente da dove.

– Guarda che la sigaretta è fatta di tabacco, non di pancetta tritata.

– Sì, mi risulta anche a me – concordò Piergiorgio. – Però, a proposito di fare le cose bene, a me sembra un po' un controsenso essere vegetariani e fumare. Fai una cosa giusta per la tua salute, e una sbagliata, oltre che vagamente schifosa.

– Io non lo faccio mica per la salute – replicò Margherita, mentre strusciava il fiammifero sul bordo ruvido della scatoletta. – Lo faccio perché non sopporto di veder soffrire gli animali.

– Gli animali. E perché non le piante? Il tabacco è un essere vivente, sai? Che ne sai che non stia male quando viene estratto a forza dalla terra e messo a seccare al sole, poverino?

– Il giorno in cui qualcuno mi dimostrerà che il tabacco ha una coscienza mi toccherà diventare cannibale e cominciare a mangiare avvocati, così sto tranquilla che mi nutro di qualcosa che ne è privo –. Margherita sbuffò un piccolo geyser di fumo biancastro. – La sola idea che un essere vivente possa venire ucciso per causa mia mi fa stare male.

– Allora la prossima vòrta lo raccatti – disse una voce da dietro alle loro spalle.

Piergiorgio e Margherita si voltarono, spaventati.

Un po' perché non si erano minimamente accorti di essere stati seguiti da qualcuno. Un po' perché la persona che adesso stava loro di fronte non aveva un aspetto tranquillizzante. Un uomo anziano con addosso una camicia nera arrotolata sugli avambracci e un gilet di velluto sudicio come un bastone da pollaio, con la faccia arrostita dal sole e l'espressione facciale di quello a cui sta venendo un gran mal di stomaco. Nella mano sinistra, nera di terra fin sotto le unghie e con un brutto ponfo violaceo sul dorso, teneva senza sforzo e con evidente competenza un grosso piccone; tra l'indice e il pollice della mano destra, invece, stringeva un oggetto che Piergiorgio identificò solo dopo un paio di secondi.

Un fiammifero. Un fiammifero usato, e ancora fumante.

Piergiorgio fu quasi sorpreso di vedere Margherita arrossire.

– Ah. Cavolo. Scusi, io...

– Le scuse son per l'òmini – rispose l'uomo, senza muovere un muscolo del viso. – Ar bosco le scuse non gli servono, una vorta che è andato a fòo tutto hai voglia a scusatti, ir bosco non c'è più. Ci vòl cent'anni a crescere un bosco come questo, bastan cinque minuti e un imbecille per distrugge' tutto.

– Ascolti, mi spiace, ma lei per favore non si permetta...

– Io son quarant'anni che bado a questo posto, signorina. E tutte l'estati lo sa quanti incendi spengo? E ce ne fosse uno che parte da solo. No, son sempre sigarette, mozziconi di sigarette e fiammiferi. Lei viene qui, a casa mia, in questo posto, e invece di respira' aria bòna s'accende una sigaretta e mi tira ir fiammifero nelle foglie secche. Mi dica lei se è da furbi.

– Io...

Senza aspettare il prosieguo, l'uomo si voltò e si incamminò fra gli alberi, mormorando qualcosa come «Maiale la gente, alle volte...».

Piergiorgio e Margherita, invece, rimasero fermi. Almeno dal di fuori.

– Che tipo.

– Mamma mia...

Mentre il vento continuava a fumare la sigaretta di Margherita, la ragazza si mosse e prese la strada verso il podere, con l'evidente intenzione di tornare indietro. Il che aumentò la rabbia di Piergiorgio verso il tanghero con la camicia nera e umore in tinta. Non che il tizio avesse torto, per carità, però est modus in rebus.

In realtà, Piergiorgio si rendeva benissimo conto che la sua rabbia nei confronti dello sconosciuto era data da due diverse ragioni.

Primo, il fatto di essere stato incapace di difendere Margherita; perché, anche se nella fattispecie la ragazza non aveva esattamente tutte le ragioni del mondo, Piergiorgio non sopportava di veder trattate male le persone a cui teneva (mentre invece, e qui lo diciamo per amor di verità, godeva sottilmente nel vedere che facevano il culo a una persona che gli stava antipatica).

Al tempo stesso, Piergiorgio era una persona educata, tranquilla e remissiva; cioè, come avrete capito benissimo, un pavido. Uno che, come molti di noi che hanno frequentato assiduamente la scuola dell'obbligo e non abbastanza la scuola della strada, non aveva problemi a dare torto a un preside, ma tendeva a dare ragione alle persone armate di piccone.

Il secondo motivo per avercela col tizio, so che è chiaro a tutti ma è una cosa talmente importante per lui che sarebbe intrinsecamente sbagliato non ricordarlo, è che Piergiorgio si stava godendo la passeggiata, e avrebbe voluto che continuasse per altre tre o quattro orette, e concluderla non per cambiare discorso ma per tornare semplicemente al podere insieme.

– Ma chi è, ne hai idea?

Margherita scosse la testa.

– Credo sia il fattore del podere. Non l'ho mai visto, cioè, non fino ad oggi. Mi sembra che si chiami Raimondo. Non credo che avremo troppe altre occasioni di frequentarlo.

– Me ne rallegro. Ci sono altri dipendenti dell'azienda che potrebbero strangolarmi nel sonno, o posso dormire senza mettere una sedia sotto la maniglia?

Margherita ritrovò il sorriso, mentre il vento intorno diventava lievemente più pungente. Il classico vento bastardo di primavera che aspetta in agguato l'uomo fiducioso, quello che dopo pranzo è uscito in mocassini senza calzini perché tanto ormai è quasi estate, e gli si spalma addosso senza pietà e senza mancare alcuno dei punti scoperti, siano essi colli, caviglie o altri pezzi di superficie incredibilmente abili a tradurre il freddo in febbre.

– C'è Piotr, l'uomo delle pulizie –. Margherita sorrise di nuovo. – Non credo che sia in grado di uccidere nessuno. Primo, perché è tanto tanto religioso e devoto alla Madonna. Secondo, perché fisicamente è sguarnito.

– Non è che io sia Maciste.

– Te sei magro, ma sei alto e proporzionato bene. Lui è una mezzasega con il testone. È diverso.

– Ora stai parlando di estetica, non di efficacia – ribatté Piergiorgio, non senza aver notato che Margherita sembrava avergli fatto un complimento. – Comunque, ho capito. Belli belli ci siamo io, te e basta. Altri mostri?

Margherita fece finta di non notare, mentre il vento si riposava un attimo. Da lontano, la casa gialla con le finestre rosse non sembrava più così lontana, e suggeriva accoglienza, riparo ed una bella doccia calda prima di cena.

– C'è questa Marangoni, una signora con un gatto. Ben tenuta, ben educata e cattiva d'animo. Non la tollera nemmeno il gatto, credo. C'è Torregrossa, il meccanico. È più largo che alto, e mangia il triplo di te, che se non mi ricordo male a tavola non fai prigionieri. Il classico bravo ragazzo. E poi c'è il maestro Della Rosa, che è esattamente il contrario. Alto, magrissimo e piacevole come un dito sudicio nell'occhio. La moglie invece doveva essere bellissima, in un'altra epoca, più o meno dalle parti del Cretaceo. Persona squisita, comunque, lei. Come faccia a sopportare il marito è un mistero. Se proprio qualcuno dovesse ammazzare qualcun altro, qui a Poggio alle Ghiande, credo che toccherebbe a lei far fuori lui.

Previsione che, come vedremo se chi legge avrà la pazienza di andare avanti, si sarebbe rivelata un clamoroso errore.

Tre

– Allora, signore e signori – aveva detto Zeno Cavalcanti, dopo essersi alzato in piedi – anche se sono consapevole di pretendere da voi qualcosa che non si può imporre, vorrei per un momento la vostra attenzione.

E tutti, a tavola, avevano smesso di fare qualsiasi cosa stessero facendo.

Il maestro Della Rosa, immerso in una piacevole dissertazione sull'uso dei fiati nei concerti grossi di Corelli con la scollatura di Margherita, aveva immediatamente distolto lo sguardo dal canyon e fatto un gesto sbrigativo con la mano, a metà tra il prendere qualcosa al volo e il tirare il collo a un papero, che diceva chiaramente «silenzio».

L'architetto Giorgetti, che era appena a metà della terza porzione di crescionda, aveva alzato la barba dal piatto e posato la forchetta sul tavolo facendo meno rumore possibile.

Giancarla Bernardeschi, che ormai nessuno chiamava più professoressa né a Poggio alle Ghiande né fuori, aveva posato la mollica di pane che stava torturando da cinque minuti buoni e si era rimessa gli occhiali.

Riccardo Maria Torregrossa, che la terza porzione l'aveva finita già da un pezzo, aveva smesso di chiedersi se sarebbe stato maleducato chiedere a Cristina di potersi portare a casa la crescionda avanzata per farci colazione.

Cristina, con un occhio soddisfatto al dolce che spariva ed un altro rassegnato al marito che invece si faceva notare anche troppo, apparentemente non aveva avuto alcun cambiamento esteriore, come d'altronde si addice ad una signora cresciuta in un ambiente nobile, ma dentro di sé si era detta vai ci siamo.

La cena, fino a quel momento, era stata gradevole, come d'altronde spesso succedeva quando si cenava tutti insieme a Poggio alle Ghiande. Però, stasera, era diverso.

Di solito, quando partiva la cena collettiva, era per spontanea coordinazione dell'umore di tutti, o quasi; una giornata particolarmente bella che nessuno aveva voglia di terminare, o un rapido susseguirsi di conseguenze fastidiose che improvvisamente diventavano coincidenze fortunate, come quando Cristina aveva detto i ragazzi non sono potuti venire, io domani riparto e ho tre chili di costolette di maiale avanzate in frigo che o le mangio stasera o sennò le butto via, e le facce di Riccardo Maria Torregrossa e di Alfredo Cavalcanti si erano illuminate in un sorriso complice. Invece, quella sera, come detto, era diverso.

L'invito a cena era partito direttamente da Alfredo e Zeno, i proprietari, e anche se il cibo e la ritualità della serata erano stati apparentemente gli stessi c'era qualche differenza, sia di quantità che di qualità.

Di quantità: come la crescionda, tre strati rispettivamente di amaretti, di budino e di cioccolato fondente, che si formavano spontaneamente in cottura, e che Cristina aveva preparato in quantità doppia del solito, anche se gli ospiti in più erano solo quattro, e quindi si era in undici invece dei soliti sette.

Di qualità: perché come detto c'erano quattro ospiti in più, ma due di questi erano persone che difficilmente sarebbero state invitate spontaneamente a Poggio alle Ghiande.

Prima di tutto l'agente immobiliare, De Finetti, che si presentava come ingegnere ma faceva l'agente immobiliare e secondo Cristina se uno studiava da ingegnere e finiva per fare l'agente immobiliare delle due l'una, o come ingegnere era incapace oppure la laurea era finta. Comunque un tizio insopportabile, vestito di tutto punto e tirato a lucido come se dovesse andare a ritirare un'onorificenza, e di quelle persone che di qualsiasi cosa si parli lui non solo lo sa da sempre, ma ormai se n'è anche un po' annoiato.

Diametralmente opposto, ma ugualmente infrequentabile, anche l'architetto Giorgetti. Vestito come uno appena uscito dal carcere, malmesso ma pesantemente fuori moda, con una serie di tic allucinanti che mentre cenava sembrava suonasse la batteria, che non si chetava praticamente mai e che quando parlava era quasi più fastidioso di quando si muoveva, una serie continua di scurrilità infantili e risatine angoscianti. L'unico che Cristina approvava era quel tizio magro, col cranio completamente rasato ma con la barba, come andava di moda ora tra i giovani che non si rassegnavano a diventare calvi, che faceva il genetista e che aveva avanzato una possibile ipotesi per il comportamento dell'architetto.

– Credo che sia un Tourette – aveva detto Piergiorgio posando il bicchiere dopo aver preso un piccolo sorso di vino.

– Un che?

– Tourette. È una condizione neurologica che rende difficoltoso il controllo di varie manifestazioni. Tic corporei, tic vocali, non di rado la coprolalia o il ripetere gesti osceni. È come se l'impulso a soddisfare un dato gesto stereotipato fosse più veloce del meccanismo di controllo che ti dice che non è il caso di farlo.

– Quindi, non ne può fare a meno?

– No, non è detto. Ci sono situazioni nelle quali il paziente non avverte il bisogno di dare sfogo al tic, anche se nella vita di tutti i giorni può essere invalidante. Esistono Tourette che nella vita sono campioni di motocross acrobatico, e non è che mentre salti da un trampolino con la moto puoi cominciare a grattarti il sedere.

– Ah. Quindi non è una vera malattia.

– Come no – rispose Piergiorgio. – Mi scusi, forse sono stato poco chiaro. Lo è, assolutamente –. Singhiozzo. – Ha una causa organica ben definita, un alterato metabolismo della dopamina. Ed è poco conosciuta, il che spesso rende il soggetto socialmente imbarazzato. D'altra parte, appunto, anche se questi comportamenti sono stereotipati e assurdi, assurdità della quale il paziente è consapevole, il soggetto trova impossibile resistervi, e li attua.

Cristina annuì con tutta la serietà che credeva necessario mostrare, mentre all'altro capo della tavola l'ingegner De Finetti parlava con sussiego di come fosse un errore investire nelle energie rinnovabili. Chissà, pensò Cristina, forse anche l'ingegnere era un Tourette e non lo sapeva.

Ma in quel momento, proprio in quel momento, Zeno Cavalcanti si era alzato in piedi e aveva chiesto attenzione.

La prima cosa che colpiva, in Zeno Cavalcanti, era il contrasto tra la testa e il resto. Di corpo vero e proprio era difficile parlare, perché per tutta l'altezza l'uomo era bardato con una specie di tunica di seta blu elettrico, con il collo alla coreana, che dal collo appunto partiva e terminava talmente in basso che se al posto dei piedi ci fossero state due ruote sarebbe stato impossibile accorgersene. Molto facile era invece accorgersi del grosso anello d'oro da pirata che gli pendeva dal lobo destro, e che insieme alla barba fluente, al capello bianco raccolto in una lunga treccia da druido e agli occhi nerissimi, davano all'uomo un aspetto innegabilmente magnetico, nonostante i sessanta e passa anni che probabilmente aveva.

– Credo possiate facilmente immaginare – continuò

Zeno, dopo una pausa – la mia gioia nel vederci qui tutti insieme stasera, come tante volte in passato. E ciò nonostante credo che non ravvisiate il turbamento che provo nel parlarvi stasera.

Zeno fece un'altra piccola pausa, guardandosi intorno, dopo aver brevemente rivolto lo sguardo al fratello gemello, Alfredo, seduto accanto a lui. Dopo di che, fece un piccolo sorrisetto quasi imbarazzato.

– Come sapete, Poggio alle Ghiande è un posto meraviglioso –. Le mani di Zeno si aprirono brevemente a palme in su, in modo vagamente sacerdotale, come ad accettare il dono che Dio aveva dato agli abitanti della tenuta. – Talmente meraviglioso che non sono state poche, negli anni, le proposte più o meno velate che ci sono giunte. Proposte che ascoltavamo più per educazione che per interesse, come voi tutti sapete.

Tutti, probabilmente, sapevano. Ma, a parte la Marangoni, non annuì nessuno.

– Finora, ci era sempre stato facile vedere la giusta cosa da fare – riprese Zeno, mentre la mano destra si allontanava, come mossa da volontà propria, planando a palmo in giù. – Ma oggi come oggi la cosa non è più così facile. C'è una società, perché oggi gli affari non li fanno più gli uomini, ma le società...

– Anche prima – mormorò Alfredo sottovoce, ma non troppo sottovoce.

– ... c'è una società, dicevo, che per la prima volta ha attratto il nostro interesse. E quando dico nostro – disse Zeno, guardando verso la propria destra, verso il fratello Alfredo – devo per forza dire nostro, e non mio.

L'altra cosa che colpiva, in Zeno Cavalcanti, era la clamorosa differenza con il fratello Alfredo.

A guardare bene i due gemelli, l'omozigosi era palese: tutta una serie di proporzioni, il naso, le orecchie, il colore degli occhi e l'espressione insieme sorniona e penetrante. Quello che colpiva, casomai, era ciò che non si vedeva, e come avevano scelto di occultarlo. Barba anche per Alfredo, certo: ma curatissima, corta, folta e regolata al decimo di millimetro. E vestito come si dovrebbe vestire un vero dandy di città quando indulge a scendere in campagna, quel posto poco pulito dove le quaglie svolazzano crude, come diceva Oscar Wilde: pantaloni e camicia in stile inglese abbinati perfettamente a un gilet di velluto in stile cacciatora di quelli che se davvero tu ci andassi a caccia ti prenderebbero per il culo anche i cani, abbinati ad uno scarponcino di cuoio più aduso al marmo che al fango. Il classico tizio che ha il Range Rover e non avendo la minima idea di cosa sia una strada sterrata lo usa per andare in ufficio, si sarebbe potuto pensare, se non fosse stato per due particolari. Uno, la casa in campagna Alfredo ce l'aveva per davvero. Due, era arrivato da Milano la mattina stessa con una Focus di sei o sette anni prima.

– Ma di' pure mio, Zeno – disse Alfredo, mentre si alzava in piedi. – Allora, eccoci qua, signori miei. Le cose sono come sono, e non come si vorrebbero. Abbiamo ricevuto un concreto interesse di acquisto da parte di una società estera, la SeaNese, che ha visto in Poggio alle Ghiande il sito ideale per un importante progetto edilizio. In pratica, quello che vorrebbero fare è un grande agriturismo. Un enorme agriturismo.

– Un enorme agriturismo per cinesi – disse il maestro Enrico Della Rosa, con una espressione che diceva bell'affare, sì.

– Forse anche per arabi. Magari anche venusiani. In fondo, quello che vorrebbero fare sono affari loro. Quello che a noi interessa è che lo vorrebbero comprare.

– No, quello che a *te* interessa è che lo vorrebbero comprare – ribatté il maestro Della Rosa, ma sottovoce, tanto che accanto a lui Piergiorgio lo sentì appena.

– Io e Zeno stiamo, in questi giorni, valutando la possibilità di poterci sedere in trattativa. Ci sentivamo quindi, ovviamente, in dovere di informarvi.

Le parole, pensò Cristina. Le parole sono importanti. Se si fosse trattato di un lutto, Alfredo avrebbe probabilmente detto «il dovere di dirvelo». Siccome si parlava di affari, aveva sentito il dovere di informarli. Quindi, per lui erano affari. La questione affettiva, semplicemente, non c'era più.

– Al tempo stesso, la società ci ha chiesto il permesso di poter valutare pienamente la tenuta da un punto di vista immobiliare, edilizio ed architettonico, e per questo motivo sono tra noi stasera le due persone che se ne occuperanno, ovvero l'ingegner De Finetti...

L'ingegnere, rimanendo seduto, aveva alzato la destra in un cenno da dittatore del Centroamerica, ma di quelli alla mano.

– ... e l'architetto Marco Giorgetti...

L'architetto, con ancora la forchetta in mano, si alzò e si produsse in un piccolo inchino da plantigrado ammaestrato.

– ... i quali hanno il compito, appunto, di visitare e valutare la tenuta nella sua interezza. Siccome, a parte il maestro Della Rosa, siamo tutti persone educate... – Alfredo Cavalcanti ebbe un piccolo sorriso sarcastico – ... vi pregherei quindi di collaborare con i signori per poter rendere il loro soggiorno piacevole, oltre che proficuo.

– Scusi, potrei aggiungere una parola? – chiese l'ingegner De Finetti, alzando un dito.

– Be', certamente. Prego.

L'ingegner De Finetti si alzò, e dopo essersi rassettato la giacca si guardò intorno.

– Innanzitutto, permettetemi di ringraziare, a nome mio e della società che rappresento, tutti voi per l'accoglienza e l'ospitalità che ci avete dato questa sera. Questa sera, ho avuto modo di apprezzare la cordialità e la benevolenza che questa piccola comunità...

Ci sono persone, dicevamo nel capitolo precedente, che sanno quando è il caso di parlare e quando no. Ce ne sono altre che, invece, sono assolutamente prive di questa empatica consapevolezza.

Consiglieri di circoscrizione che inaugurano citando Cicerone la nuova fognatura finanziata dalla ditta Stasamerd in cambio di alcuni squallidi favori edilizi, professori universitari di glottologia in pensione che presenziano a premi letterari con in palio più bottiglie che gloria, vecchie padrone di casa dalla vita inutilmente lunga che ammorbano gli ospiti con aneddoti di sconcertante incoerenza, con voce querula e mano grifagna abbarbicata sull'avambraccio.

E, oltre a loro, l'ingegner De Finetti, il quale nei cinque minuti in cui parlò riuscì a rimanere sui coglioni a tutti i presenti alla cena, escluso forse se stesso e la società che rappresentava.

– E lei, che società rappresenta?

– Mah, se vuole le dico la società che seguo. Nel senso che sto per la Fiorentina. Tu, Margherita, che società rappresenti?

– Mamma mia che tipo mefitico...

Dopo cena la serata si era un pochino arenata, insieme alla favella dei commensali. Per togliere la sabbia dagli ingranaggi della conversazione ci era voluta Giancarla, la quale si era presentata con una bottiglia di liquore artigianale di limetta. Questo, unito alla circostanza che l'ingegnere era un tipo che andava a letto presto, aveva fatto ripartire la chiacchiera in modo parecchio spontaneo.

– Comunque Piergiorgio non è di nessuna società – disse Margherita. – Il dottor Pazzi, come bisognerebbe chiamarlo...

– Professore, prego – disse Piergiorgio con finto orgoglio per nascondere l'orgoglio autentico. – Sono diventato associato giusto giusto un mese fa.

– Professore in che cosa? – chiese l'architetto Giorgetti, alzando un sopracciglio interrogativo.

– Di genetica. In questo momento, particolarmente, mi occupo di epigenetica.

Le sopracciglia dell'architetto si inarcarono a formare una specie di bifora.

– Epigenetica? Suona bene. Cioè, intendiamoci, che il Grande Spaghetto mi fulmini se so di cosa si tratta, ma sembra una cosa seria.

Piergiorgio, dopo aver incontrato brevemente lo sguardo di Giancarla, si chiese in che modo affrontare l'argomento. Se a tavola ci fossero stati altri chimici, probabilmente sarebbe partito a spiegare di come la metilazione degli amminoacidi del DNA riconfigurasse la struttura quaternaria della molecola nel suo insieme. Essendo a un tavolo di persone, al momento, più propense a effetti etilici, un discorso sui gruppi metilici sarebbe stato difficile da seguire.

– In pratica, mi occupo di come l'ambiente determini l'espressione del DNA. Da un punto di vista generale, il DNA può essere pensato come un libro di ricette. Però due persone che alla nascita ricevono esattamente lo stesso libro di ricette possono non avere le stesse possibilità di metterlo in pratica. Magari il libro di ricette si rovina, alcune pagine si incollano tra loro.

– Oppure il nipote te ne strappa una pagina per rollarcisi una canna.

Un paio di teste si voltarono verso l'architetto Giorgetti.

– Si può fare, fidatevi – spiegò l'architetto, mentre le sopracciglia da dietro gli occhiali si disponevano a triangolo, tipo frontone di un tempio greco. –

Io lo facevo al liceo con il Rocci, il dizionario di greco. Pagine sottilissime, una velina. Ideali quando avevi finito le cartine. Mi scusi, prego. Anzi, perdonatemi tutti, ma adesso devo andare a fare una telefonata urgente. Si dice così, in società, quando uno deve pisciare, no?

E, voltatosi, si avviò verso l'interno della casa, seguito da più d'uno sguardo tra il perplesso e il sollevato. Sguardi che poi, comunque, tornarono presto a convergere verso Piergiorgio.

– Comunque, caso uno: si rovina il libro – continuò Piergiorgio. – Caso due, hai la ricetta ma non hai gli ingredienti. In alcuni casi puoi ovviare, al posto dell'orata puoi usare il branzino, ma in altri no. Se provi a fare il pane con la farina di riso, o ci metti qualcosa che leghi o viene un troiaio. Lo stesso succede con il DNA: se non hai le proteine o gli acidi grassi necessari per tradurre le istruzioni che dà, farai degli errori.

– Oh, ora ho capito – disse Cristina. – Margherita mi aveva detto che un dottore era venuto qui per i signori Cavalcanti, e mi chiedevo il perché. Mi sembravano parecchio sani tutti e due.

– Sani come branzini – confermò il maestro Della Rosa, annuendo ampiamente. – Zeno non ha bisogno di nulla, Alfredo magari avrebbe più bisogno d'un prestito che d'un prelievo.

– Sei un maligno.

– Il maligno con voi è chi ha gli occhi in testa, direbbe Da Ponte – citò il maestro, con aria ebbra ma sicura. – Spero per lui che quest'anno l'ultima moda di Milano preveda le pezze al culo, perché altrimenti rischia di passare per un parvenu.

– Enrico!

Il maestro Della Rosa si voltò, giusto in tempo per vedere i gemelli Cavalcanti che, uno accanto all'altro, si apprestavano a ricongiungersi con il resto della compagnia dopo aver salutato l'ingegnere.

– Cristina, Enrico, allora – disse Alfredo mettendo due mani pelosissime sulle spalle del maestro Della Rosa. – Di che cosa parlavate?

– Mah, ora ora del fatto che non hai in tasca uno per fare due – rispose il maestro Della Rosa dopo aver finto un grosso sforzo di memoria. – Un attimo prima però si parlava di epigenetica.

Alfredo Cavalcanti, dopo un'altra robusta pacca sulle spalle secche del musicista, si stravaccò su una sedia. Di fianco a lui, dopo aver sistemato con gesto ieratico la tunica sotto il sedere, si accomodò il fratello.

– Ah, bene. Sempre sincero, il maestro, sa, professor Pazzi? È uno dei motivi per cui lo apprezziamo tanto. O almeno, per cui lo apprezzo tanto io. Certo, a volte sa essere antipatico, ma altre volte invece è veramente fastidioso.

– Come se fossi il solo. Anche il nostro amico Gigiballa, lì – disse il Della Rosa, indicando l'architetto Giorgetti che stava tornando dal bagno – ogni tanto la tocca pianissimo.

– Lo so, lo so. Prima, mentre c'erano i pici, stava spiegando alla Marangoni per quale motivo le scurregge silenziose puzzano e quelle rumorose invece no. Ma pare che sia una malattia, ce lo ha spiegato lui stesso. Sindrome di Tourette.

– Ah, però – disse Cristina, guardando Piergiorgio. – Ma allora lei se ne intende.

– In che senso? – chiese Zeno, di cui adesso, da seduto, si vedevano i piedi, inguantati in due lucide babbucce con la punta all'insù.

– Il professore, prima, mi stava spiegando che l'architetto secondo lui soffriva esattamente di questa patologia.

– Casomai ne soffriamo noi, di questa patologia – disse Margherita, storcendo lievemente la bocca. – Lui mi sembra che ci si trovi benissimo.

– No, insomma, non è proprio così – disse Piergiorgio, facendo così così con la mano. – Per chi ne soffre, è una tortura. Comunque, non ci voleva un luminare per ipotizzarlo. È un caso quasi da manuale.

– Via, via, non faccia il ritroso – rispose Zeno, guardandolo con l'occhio sfavillante. – Margherita ci ha detto che lei è un autentico luminare del suo campo. Vi porto a cena uno dei migliori genetisti italiani, testuale.

– Ah, be', di Margherita potete senza dubbio fidarvi – rispose Piergiorgio, notando non senza un minimo di soddisfazione che Margherita stava assumendo un lievissimo rossore sulle gote, segno che l'aveva detto davvero. – Da filologa romanza, è la persona più adatta per giudicare il mio curriculum.

– Senti, sei diventato associato a trentatré anni – rispose Margherita, con tono amichevole e un filino ebbro. – Siccome sei figlio di un ferroviere, o sei bravo o hai nel cellulare un video con tutto il consiglio di dipartimento che si inchiappetta a ritmo di rumba, e ricatti l'università da anni.

– Nel secondo caso, la pregherei di mostrarcelo immediatamente – disse Zeno, con un sorriso divertito. – Ma temo che la dottoressa Castelli abbia ragione. Genetista, o meglio, mi sembra di aver capito da quello che dicevate poc'anzi, epigenetista.

– Sì, è quello di cui mi occupo.

– In pratica, le variazioni che l'ambiente provoca nel nostro codice genetico.

– Sì. Non solo, ma anche. La definizione di epigenetica non è chiarissima, ma principalmente sì.

– Quindi, lei cerca coppie di gemelli per questo. Per annullare la differenza che c'è tra i due codici genetici alla nascita, e considerare solo l'effetto dell'ambiente.

– Per minimizzarla. In realtà alcune differenze possono sorgere già nella pancia della mamma. Comunque sì, la sostanza è questa.

– Capisco – disse Zeno, tentennando la testa gravemente su e giù. – Senta, le potrei fare un'altra domanda?

– Certo. Se so rispondere...

– Ora come ora, esiste una caratteristica genetica che è in grado di predire l'aspettativa di vita di una persona?

Piergiorgio prese un respiro profondo, come se avesse bisogno di pensare alla domanda. In realtà, conosceva la risposta piuttosto bene.

– Principalmente, le direi che è la lunghezza dei telomeri.

Alfredo, che sembrava ugualmente incuriosito, si sporse verso Piergiorgio come se gli stesse per chiedere un segreto.

– È qualcosa che posso far finta di capire?

– Ma certo. Ecco, immaginatevi che il vostro DNA sia come una cerniera lampo –. E Piergiorgio, dopo un attimo, si alzò e andò verso Margherita, che aveva una meravigliosa felpa con la zip di otto taglie più larga con scritto Ferrari corse, evidente prestito del Torregrossa per ripararsi dalle folate di vento improvvise, oppure dagli sguardi tomografici del maestro Della Rosa. – Ogni volta che si deve replicare, cosa succede? Signorina, la pregherei di abbassarsi la zip.

Margherita, sorridendo come chi sa già di cosa si parla, tirò giù la zip fino in fondo. Piergiorgio mostrò i due lembi della cerniera, identici ma speculari.

– Per potersi replicare, prima il DNA si divide in due binari complementari, l'uno è il complemento dell'altro. Quindi viene percorso da un meccanismo molecolare, una specie di cursore che scorre lungo una delle due catene e, man mano che scorre, prende la proteina che serve dall'ambiente cellulare e la incolla per generare il nuovo filamento. È un po' come fare un puzzle, l'enzima può incastrare solo il pezzo giusto. Però, per partire, ha bisogno di un aggancio iniziale in cui inserirsi. Senza l'inizio della zip, come sappiamo tutti, la cerniera col cavolo che funziona.

– Ho capito – disse Alfredo. – I telomeri sono il pezzettino iniziale. Senza di quelli, non funziona nulla. Il cursore non ingrana.

Piergiorgio scosse lievemente la testa. Un classico. Lo facevano anche i suoi studenti, e lo faceva anche lui da studente. Senti quello che serve per dare una spiegazione plausibile, e ti convinci che sia la spiegazione corretta.

– Non esattamente. Ecco, diciamo che i telomeri garantiscono la qualità della copiatura. Immaginate una cerniera incompleta, appena uscita dalla fabbrica, senza inizio né fine –. Piergiorgio toccò il cursore della cerniera lampo facendolo oscillare, poi indicò i fermi in cima e in fondo alla cerniera. – Senza questo né questi. Questo è il DNA quando si separa. Dopo la separazione, e prima della duplicazione, un enzima che si chiama primasi attacca a destra della catena un qualcosa per iniziare, un cosiddetto primer, che equivale al fermo della cerniera lampo. Quello che diceva lei prima, un primo punto per far ingranare l'enzima che esegue la copiatura.

Piergiorgio incominciò a far scorrere la cerniera su e giù, con delicatezza, fermandosi ogni volta un pochino prima. Un pochino più in alto, ogni volta che scendeva, e un pochino più in basso ogni volta che saliva, in una specie di oscillazione inesorabilmente smorzata. Per fortuna la felpa era molto abbondante, altrimenti l'operazione sarebbe stata impossibile senza avvicinare la mano al seno di Margherita a una distanza a cui Piergiorgio non aveva la minima intenzione di arrivare, o perlomeno, non senza il suo esplicito consenso e sicuramente mai in pubblico.

– Ora, questo qualcosa, questo inizio o questa fine, nella replicazione successiva si perderà, perché quando andrai a fare scorrere il cursore nella direzione opposta ti dovrai fermare dove c'è il primer. Ogni volta, perdi un qualcosa. Ogni volta, perdi informazione. Per cui, tutte le volte che devi riprodurre una cellula nuova perdi informazione. A meno che...

Piergiorgio prese dal tavolo un coltello di metallo, lucido e liscio, e lo giustappose alla fine della cerniera.

– ... a meno che ogni cromosoma non inizi e finisca con una bella catenona di informazioni assolutamente inutili, tutte uguali. Roba che se anche la perdi chi se ne frega. Ecco, questi sono i telomeri. E, brutalmente parlando, più lunghi ce li hai e meglio è.

Alfredo e Zeno si guardarono con aria che a Piergiorgio parve vagamente complice. Quindi, guardando l'architetto Giorgetti, Zeno si alzò dalla sedia con la stessa aria solenne di poco prima.

– Bene, dottor Pazzi, grazie di questa chiarissima spiegazione. Adesso, mi piacerebbe ricambiare. Avevo in programma di accompagnare l'architetto Giorgetti a visitare la mia collezione. Le andrebbe di unirsi a noi?

Piergiorgio, con la coda dell'occhio, vide Margherita che si alzava, chiaramente intenzionata ad approfittare dell'occasione.

– Certo. Ci mancherebbe, anzi. Molto volentieri.

Quattro

– Le piace?

Piergiorgio, dopo un attimo, si voltò verso Zeno Cavalcanti e fu costretto ad essere sincero.

– Sì, effettivamente sì. Questo mi piace. Mi dà un'emozione.

E come, se mi dà un'emozione. Un quadretto piccolo, semplice, una casetta in riva al mare seminascosta da un piccolo muretto di mattoni.

Non era tanto il soggetto ad essere bello, quanto la luce. Perché il dipinto sembrava veramente riflettere la luce del mare e di un paese sul mare, alle due di pomeriggio di un giorno d'estate – e qui Piergiorgio non avrebbe potuto essere meno preciso. Le due, le due e mezzo al massimo, né l'una né le tre. Era quella, la cosa del quadro che lo colpiva.

Accanto a lui, Zeno dondolò la testa, approvando.

– Llewelyn Lloyd. *Marciana Marina*. Lei ha ottimi gusti. Questo le piace, quindi. Ne sono lieto.

Dopo di che, il suo anfitrione tacque, in evidente attesa.

Piergiorgio, rendendosi conto che il silenzio non era previsto come opzione, cercò di essere meno bugiardo possibile. Gli pareva brutto dire al suo ospite che a lui dell'arte figurativa gliene importava meno di una mazza, e che chiunque vedesse qualcosa di esteticamente notevole in alcune delle opere che gli erano state mostrate – per esempio il filmato in bianco e nero di un omino che camminava a passo allucinato intorno a un quadrato fatto per terra col nastro adesivo – fosse oggettivamente mezzo scemo.

– Comunque, in generale, mi ha fatto una impressione notevole. Si ha l'idea di qualcosa di vero, di cercato, di sentito, non di allestito.

– In pratica, non le ha dato l'idea di una mostra.

– Esatto. Sì, non mi ha dato l'idea di una mostra.

Zeno restò qualche attimo in silenzio, mentre Piergiorgio rimaneva lì, come un liceale alla lavagna, a chiedersi se per caso non avesse detto qualcosa di estremamente idiota.

– Ellallà, questo sì che è un complimentone – disse l'architetto Giorgetti dopo qualche secondo. – Comunque sono d'accordo, sì, sì, assolutamente d'accordo. Si vede una ricerca, una vita. Un filo logico, una unità d'intenti coerente e al tempo stesso in continua evoluzione.

– Lei è troppo buono, architetto. Comunque sì, non dà l'idea di una mostra.

– Spero di non aver...

– Ma assolutamente, professor Pazzi, assolutamente. Sa cosa diceva un grande critico d'arte delle mostre?

E qui Zeno Cavalcanti levò la mano al cielo, preparandosi a declamare, ma venne anticipato dall'architetto Giorgetti con un tempismo da avanspettacolo:

– Le mostre, virgola, sono come la merda. Servono a chi le fa, virgola, ma non a chi le guarda –. Risatina da orsetto di peluche. – Federico Zeri, un grande. Se non mi sbaglio, ma mi sembrava che fosse lui.

– Assolutamente. Lei sa di cosa parla, amico mio – confermò Zeno con eleganza non priva di una puntina di divertito sarcasmo. – E lei, professore, cosa ne dice?

– Secondo me la prima virgola non ci andrebbe – disse Piergiorgio, cercando di empatizzare con quell'aria di elaborato ed elegante tentativo di presa per il culo nel quale si sentiva messo in mezzo. – Che questo sia il percorso di una vita, è notevole, e credo che abbia un significato. Ma a parte quello, non credo di avere la competenza per parlare.

E chi vuole intendere, intenda. Se si parla di genetica, so cosa dire. Se si parla di malattie, so cosa dire, quasi sempre. Se invece si parla d'arte, be', diciamo che posso ascoltare volentieri, se chi me ne parla è bravo.

– Competenza – ripeté Zeno a bocca piena, ma insoddisfatta, come se stesse facendo i gargarismi con un collutorio al gusto di sgombro. – È una parola brutta, tecnica. Non mi piace. Preferisco sensibilità.

– Va bene, possiamo chiamarla sensibilità. Oppure capacità di riconoscere. Ecco, riguardo ad alcune opere che mi ha mostrato, io non sono in grado...

– Di dare loro un valore?

– No, è più radicale. Di riconoscere se sono opere d'arte, direi.

– Le due cose non sono così separate come crede, sa?

Però, visto che lei è un medico, proviamo a fare un esempio. Ad esempio, forse lei saprà che nel 2010 uno scultore cinese, Zhu Cheng, ha realizzato una Venere di Milo utilizzando esclusivamente escrementi di panda.

– No, non lo sapevo.

E ora che me l'ha detto, spero di dimenticarmelo alla svelta.

– Bene, io le chiedo: lei comprerebbe un oggetto del genere per metterselo in salotto?

Mentre Piergiorgio si chiedeva se era possibile dare una risposta negativa di pesantezza tombale senza passare per grezzo, l'architetto Giorgetti gli si rivolse con aria premurosa:

– Prima di rispondere, tenga conto che l'opera in questione è rinchiusa in una teca, eh. Il tanfo non si sente.

Piergiorgio ridacchiò.

– Prima di rispondere, se fossi un vero collezionista d'arte dovrei chiedere anche quanto mi costerebbe.

– Domanda corretta – disse Zeno Cavalcanti. – Se mi ricordo bene, l'opera è stata comprata da un collezionista svizzero per circa cinquantamila euro.

– Bene. Con cinquantamila euro, mi permetterà, preferisco comprarmi qualcos'altro. Di roba schifosa ne vedo già abbastanza sul lavoro.

– E se lei fosse ricco come un sultano?

– Guardi, se fossi un sultano avrei altri passatempi che non l'arte.

Probabilmente mi metterei in salotto varie copie della Venere di Milo, sì, ma di ciccia, pensò Piergiorgio. Nel frattempo, l'architetto Giorgetti aveva cominciato a camminare su e giù per la stanza, in modo dondolante, canticchiando con voce da baritono: «... *cinque... ... dieci... ... venti... ... trenta...*».

– Io, invece, me la comprerei. – La mano destra del collezionista roteò in aria, oscillando piano, come a gettarsi alle spalle oggetti cari ma ormai troppo vecchi. – Mi ricorda che dalla composizione di parti ignobili, come gli organi interni, il sangue, tutta la roba schifosa che lei diceva prima, può nascere un oggetto nobile come l'uomo. Se ci fermiamo a vedere di cosa è fatto, ci perdiamo cosa può fare. Al tempo stesso, mi ricorda che anche questo oggetto nobile e totipotente non può scordarsi di essere fatto di parti ignobili, che possono prendere il sopravvento da un momento all'altro sul suo nobile intelletto. E che prima o poi dovrà soggiacere alle leggi biologiche di queste sue componenti, indifferenti alla sua nobiltà, e morire. Forse è per questo che non mi sono mai sposato.

– Ah, non perché è frocio? – chiese l'architetto Giorgetti, continuando a camminare avanti e indietro.

Ci fu il solito momento di silenzio viscoso che accompagnava le uscite dell'architetto, prima che qualcuno aprisse bocca.

– Comunque – continuò Zeno Cavalcanti, a cui apparentemente le esternazioni dell'architetto scivolavano via come acqua su una lontra – il discorso di fondo è questo. Mettiamo che qualcuno le mostri quest'opera, dottor Pazzi. Le chiedo: lei sarebbe in grado di dimenticarsi di averla vista?

– Temo proprio di no – rispose Piergiorgio, sincero.

– Ecco, vede. Lei non se la dimenticherà mai. Cosa significa questo, a livello fisiologico? – Le mani di Cavalcanti si mossero, piegando e trafilando l'aria come a forgiare un cancello immaginario. – Significa che nel suo prezioso ed unico cervello, qualcosa è cambiato, ed è cambiato per sempre. Lei ha prodotto delle nuove sinapsi, delle inedite volute cerebrali, dei ponti fisici fra neuroni che prima si ignoravano. È un cambiamento fisico, non un'operetta morale, dico bene?

– Senti lì il Cavalcanti giovane com'è preparato – disse il Cavalcanti vecchio con aria bonaria. – Lo hai letto sulla «Settimana Enigmistica»?

– *L'età dell'inconscio*, di un neurologo premio Nobel. Eric Kandel, mi sembra. Un libro molto interessante. Lo conosce?

– Kandel? Certo. Anzi, sarebbe grave il contrario – rispose Piergiorgio. – Però questo testo non lo conoscevo. Deve essere notevole.

– Molto interessante – confermò Zeno. – Un libro sulle interconnessioni tra arte, medicina e letteratura nella Vienna di fine Ottocento. Glielo consiglio vivamente. Non lo veda come uno sfoggio, ma credo che anche lei potrebbe trovarci cose che non ha mai preso in considerazione. Anch'io, dal mio punto di vista, ci ho trovato cose che ignoravo, e tenga conto che di cose sull'arte ne ho lette parecchie, in vita mia.

– Confermo – si inserì Alfredo. – Del resto, non hai mai lavorato in vita tua. Se uno non ha un cazzo da fare dalla mattina alla sera, leggere tanto è naturale. Anch'io leggerei, se avessi tempo.

Il collezionista sorrise con l'espressione magnanima di chi si vede rivolgere un complimento meritato.

– Allora, caro professor Pazzi, per costruire nuove sinapsi lei ha bisogno di proteine. E queste proteine il suo corpo le produce quando si attivano determinati geni. E cosa serve per attivare questi geni?

– Un'emozione.

Precisamente, un'emozione. Ovvero un evento con cui il tuo corpo dice al tuo cervello che è successo qualcosa di inaspettato, che il suo pur avanzatissimo software di inferenza & previsione non è stato in grado di anticipare. E quindi, di fronte all'imprevisto, il tuo corpo reagisce inondandoti di neurotrasmettitori: dopamina, adrenalina, serotonina. Che sul momento ti dicono godi, fuggi, o urla, e contemporaneamente danno al tuo cervello istruzioni molecolari per costruire dei nuovi collegamenti, essenziali affinché tu ti ricordi che quelle bacche rosse sono buone, o che cadere da cinque metri fa tanto male, e tu non lo rifaccia più. È un meccanismo evolutivo: se noi esseri umani non ricordassimo bene le cose che ci hanno provocato le reazioni più violente, non saremmo sopravvissuti a lungo, e oggi il pianeta sarebbe dominato dai delfini, o dalle sogliole.

Zeno Cavalcanti concesse a Piergiorgio un garbato applauso, piccoli colpetti delle dita della destra sul palmo della sinistra aperta a coppa, posando prima su un tavolino il bicchiere di passito che si era portato dietro da tavola.

– Precisamente. Assolutamente. Un'emozione. Allora, se lei se lo ricorda per tutta la vita, possiamo concludere che l'ha emozionata. Si ricorda, all'inizio di questa nostra bella serata, come mi aveva definito, giustamente, l'arte?

Piergiorgio guardò Zeno e si sorprese di notare come gli sembrasse più vecchio e più schifoso di qualche minuto prima. Non tanto per l'aspetto dell'uomo, quanto per il sorriso a fior di labbra con il quale, accanto a lui, Margherita stava guardando l'anziano collezionista.

L'architetto Giorgetti alzò la testa dal proprio bicchiere, aprendo la bocca da sotto i baffi imperlati di piccoli Tarzan di vino liquoroso.

– Allora per lei anche Marina Abramović è arte? – chiese, senza che un singolo tarzanello perdesse la presa.

– Ma per carità – inorridì Zeno posando il bicchiere da cui stava per bere, come se anche solo il nome che l'architetto aveva pronunciato fosse solubile e in qualche modo velenoso. – No, qui bisogna essere chiari.

– Sì, appunto – disse Piergiorgio nell'orecchio di Margherita. – Chi minchia è Marina Abramović?

– È un'artista serba che fa installazioni un po' estreme – rispose l'architetto Giorgetti, che evidentemente sapeva leggere le labbra – oppure Piergiorgio aveva parlato a voce un po' più alta di quanto credesse, ma la verità non la sapremo mai.

– Dica pure schifose – replicò il collezionista. – Vede, dottor Pazzi, questa sedicente artista tempo fa alla Biennale di Venezia si piazzò in un palazzo con una montagna di quarti di manzo e cominciò a disossarli, gettandosi alle spalle gli ossi scarnificati, che rimanevano lì, accumulandosi per giorni e giorni. In teoria, una installazione che avrebbe dovuto comunicare l'orrore della guerra nella ex Jugoslavia. In pratica, una femmina in tunica che squartava delle bestie morte.

Zeno Cavalcanti ebbe un'espressione di autentico disgusto, non si sa se dovuto allo squartamento, alla femmina o alla tunica che magari era fuori moda.

– Particolare non trascurabile, intorno non c'era nessuna teca – precisò l'architetto. – Qui il tanfo si sentiva davvero. Parecchi amici sono stati concordi nel dire che intorno all'artista c'era un puzzo da varare una petroliera.

– Ma quale artista, architetto. Questa non è arte, questa è una bieca aggressione dei sensi.

– Sì, certo, non tutti sono in grado di sopportare il lezzo di una catasta di carogne putrefatte – accordò l'architetto. – Ma forse il punto è proprio questo, voglio dire. Lei porta ancora con sé l'impressione non proprio quotidiana di una valanga di ossi spolpati, e...

– Se lei crede che a farmi impressione sia veder squartare dei pezzi di bovino è fuori strada – rispose Zeno, compassato come sempre. – Ho passato la giovinezza a scotennare maiali, molti dei quali avevo visto crescere e che conoscevo per nome. Alcuni li avevo battezzati io.

L'architetto sollevò le sopracciglia a formare un grazioso arco a sesto acuto, di foggia vagamente gotica, e si rivolse verso Alfredo.

– Vero, verissimo – confermò Alfredo, con calma. – Vede, nostro padre voleva che un giorno entrambi fossimo in grado di condurre la fattoria, e quindi ognuno dei due doveva essere capace di svolgere tutti i lavori della fattoria, incluso macellare le bestie –. Alfredo trasse un respiro tra il diaframma e l'intestino. – Non è una cosa che ci si scorda, ma è una cosa a cui si può fare l'abitudine.

– Esatto – approvò Zeno. – Adesso, mettiamo da parte la norcineria e torniamo all'arte. Perché l'arte, architetto, l'arte è astrazione. Un disegno di femmina non è una femmina, è un simbolo. Un simbolo astratto, individuabile come femmina, ma non una femmina tout court.

– Capisco. Lei mi sta dicendo che non ci si può trombare un acquerello.

– Esattamente. Precisamente –. Per la prima volta, l'anziano collezionista approvò visibilmente i modi grevi dell'architetto. – La guerra provoca orrore e disgusto, e voi non sapete cos'è. Questo il concetto, e va bene, ma sono tutti capaci di provocare disgusto e orrore facendoti entrare in una macelleria. Ma bisogna essere Picasso per dipingere *Guernica*. E farti provare orrore e raccapriccio e sofferenza passando solo attraverso il cervello.

– E la vista – disse Piergiorgio.

– Prego?

– Anche la vista è un senso, come l'olfatto. L'arte passa attraverso i sensi, me lo ha spiegato lei poco fa. E l'olfatto è un senso esattamente come la vista. Ho come l'impressione che quello che la infastidisce tanto dell'opera di Marina Abramovic sia il fatto di non poterla comprare.

– Quello che mi infastidisce di quest'opera, dottor Pazzi, è che non può durare – disse Zeno con forse un pochino troppa amabilità. – Riconosco che avrei difficoltà ad apprezzare una piramide di carcasse che marcisce nel mio giardino, ma la cosa importante è che l'immondo ammasso non mi sopravviverebbe. L'arte, l'arte vera, è fatta per essere eterna.

Piergiorgio lasciò decantare questa affermazione per qualche secondo, due o tre appena. Il tempo di dare la giusta enfasi a quello che stava per dire.

– Allora anche quadri e sculture, se è per quello, non sono arte – disse, pacatamente, come chi sa di dire una cosa ovvia. – Sono oggetti materiali, quindi destinati a corrompersi, a corrodersi, a rovinarsi. Pur tuttavia sono in grado di colpire i miei sensi, da quello più nobile e accettabile socialmente come la vista a quelli tanto deprecabili come l'olfatto.

L'architetto Giorgetti alzò nuovamente le sopracciglia, stavolta in foggia un pochino più medievale, probabilmente sorpreso dal fatto che anche Piergiorgio sapesse usare parole di cinque sillabe.

– Quando, poco prima, abbiamo parlato di quella scultura di guano...

– Escrementi di panda, per essere precisi – ricordò l'architetto.

– Sempre di cacca si tratta. Quando si parlava di questa opera d'arte, lei giustamente diceva che la cosa mi ha provocato un'emozione, e che quindi non me la scorderò.

Ora ti riconosco, diceva lo sguardo dell'architetto. Ma Piergiorgio continuò a guardare il collezionista.

– Il fatto è che mi ha emozionato parlarne, non guardare l'opera. Se lei mi parlasse di *Guernica*, se me lo descrivesse, non mi emozionerebbe. Guardare l'opera, invece, sì. La venere di cacca non è arte, casomai è letteratura.

Anche stavolta, Margherita sorrise.

E il sorriso sembrò a Piergiorgio molto più aperto di quello di prima.

– Magari a lei interesserebbe di più sapere come mai io e mio fratello siamo così, diciamo, divergenti? – Zeno Cavalcanti si guardò intorno alla ricerca di qualcosa per sedersi, e decise che il già nominato divano di falli in polimero termoplastico espanso poteva andare. – È per questo, in fondo, che è venuto qui, giusto?

Anche. Ma non solo. Di gemelli diversi in questi anni ne ho trovate parecchie coppie, ma di ragazze come Margherita nessuna.

– Deve sapere – disse Alfredo mentre il fratello si metteva comodo sul divano di cazzi – che io e Zeno siamo gemelli monozigoti, ma non siamo mai stati trattati in maniera identica. Sin dalla nascita. Io, essendo venuto alla luce esattamente quindici minuti dopo Zeno, sono il primogenito. Zeno, invece, è il cadetto.

Un silenzio quasi irreale accolse questa frase di Alfredo. Silenzio dovuto al fatto che Piergiorgio era decisamente interessato all'argomento «vite parallele dei Cavalcanti» e che sia Margherita che l'architetto Giorgetti, scusandosi, si erano entrambi ritirati per tornare nelle loro stanze; l'architetto per scrivere alcune mail e Margherita, probabilmente, per semplice discrezione.

– Come, dopo? Intende dire prima?

– No, no, intendo esattamente dire dopo – confermò Alfredo. – Nelle famiglie nobili, quando nascono due gemelli, il primogenito è quello che vede la luce dopo, giacché stando più in alto nel ventre della mamma si ritiene che sia stato concepito prima.

– E nostro padre, buonanima, era un nobile, come del resto si può evincere guardandosi intorno – proseguì Zeno. – E a questo aspetto del titolo nobiliare ci teneva per davvero. Per cui io e mio fratello siamo stati cresciuti in modi e con prospettive diametralmente opposti. Lui era Alfredo Cavalcanti futuro marchese di Poggioponente, io Zeno Cavalcanti, un bischero come tanti.

– Giusto – rimarcò Alfredo, sorridendo, e guardando Piergiorgio con occhio sornione. – A me il titolo, e il sessanta per cento della tenuta e dell'azienda. Cioè, le responsabilità. A lui, il quaranta per cento della tenuta e dell'azienda, cioè nessuna responsabilità e tanti di quei soldi da permettersi di girare il mondo, di comprare quadri e paccottiglia varia e di non fare un tubo dalla mattina alla sera perché tanto alle cose serie e alla tenuta ci pensa quell'altro.

Alfredo guardò il fratello, e i due si sorrisero come chi si conosce da sempre. Poi, fu il turno di Zeno di guardare Piergiorgio negli occhi.

– In una cosa siamo uguali, professore: ognuno dei due era convinto di aver avuto in sorte la cosa sbagliata. In ognuno dei due, man mano che crescevamo, veniva spontaneo non dico invidiare, ma piuttosto dare una mano all'altro, fino al momento in cui mio padre non è venuto a mancare, e fisiologicamente i ruoli si sono scambiati. Vede, se fossimo nati secondo i dettami della fisiologia moderna, e non secondo le nobili e polverose tradizioni nobiliari, tutto questo casino non sarebbe successo. Ci è toccato vivere, per rimettere a posto le cose.

Mentre Zeno parlava, Alfredo si era alzato in piedi e si era diretto a una vetrinetta che conteneva alcune opere d'arte allo stato liquido, tra cui una bottiglia di Léopold Gourmel «Âge du Fruit», cognac pregiaterrimo di cui Piergiorgio fino a quel momento aveva solo sentito parlare. Con un cenno interrogativo aveva guardato Piergiorgio, il quale aveva risposto con una alzata di sopracciglia nemmeno lontanamente paragonabile a quelle dell'architetto, ma che Alfredo aveva comunque interpretato correttamente, prendendo due bicchieri.

– A proposito di ruoli scambiati, questo è un gran cognac – disse Alfredo, versando. – Ma a me il vino piace berlo, a mio fratello invece piace collezionarlo. E infatti lui lo colleziona. Si figuri che ha messo la porta blindata alla cantina, e con il codice.

– Anche a me piace berlo, il vino, ma se lasciassi fare a te ogni momento sarebbe buono per stappare un Romanée-Conti o altra bottiglia a tre zeri. Comunque lo sai, se mi chiedi di andarci insieme, si prende e ci si va insieme. Di lasciartici girare da solo, con quelle due manine piene di dita e coi pollici prensili, mica sono scemo. Comunque, professor Pazzi, a me di girare il mondo, dopo un po', è venuto a noia – continuò Zeno, mentre Alfredo porgeva a Piergiorgio un bicchiere con due dita di liquido ambrato. – Mi mancava la tenuta, mi mancava l'aria pura, mi mancava quella calma e quella serenità che mio fratello definiva noia mortale. E così, ormai quasi trent'anni fa, mi sono fermato qui. Non era facile, all'inizio. Molti dei famigli non hanno preso bene la cosa, erano fedeli a mio padre e non capivano. Poi i tempi sono cambiati, tutto si è modernizzato, la zona è diventata alla moda. Un tempo questa era la Maremma amara, oggi è una location. Il vino e l'olio ci hanno aiutato, sono diventati più una rappresentanza che una produzione. E mantenere la pineta è quasi più importante che coltivare i campi. Adesso rimangono solo dieci persone, di cui solo due sono veramente legate a Poggio alle Ghiande.

– Piotr e Raimondo – disse Alfredo.

– Piotr. E Raimondo, soprattutto – confermò Zeno.

– Piotr è un immigrato polacco – completò Alfredo. – Si occupa delle pulizie, tiene in ordine le camere, mette a posto. Si riconosce facilmente, o pulisce o recita il rosario. Raimondo, invece, era il factotum. Principalmente, era il custode della tenuta. Ora è molto anziano, è in pensione, per la tenuta non fa quasi più nulla, lo sanno tutti tranne lui. Lui è convinto di essere ancora il factotum, e non se la sente nessuno di dirgli il contrario. Comunque, una qualche attività ce l'ha ancora e guai a chi gliela tocca. Controlla le recinzioni, scaccia gli abusivi e, soprattutto, spegne gli incendi.

Il cognac aveva il colore dell'oro pallido e un profumo caldo di vaniglia e di frutta matura. Essendo il secondo oggetto dall'odore intenso in cui Piergiorgio si era imbattuto nel corso della giornata, gli venne spontaneo chiedersi se quel Raimondo cui si accennava per caso non fosse il primo.

– Un uomo alto, che sembra Clint Eastwood col mal di schiena e che non si lava per protesta da quando non c'è più la monarchia? – chiese Piergiorgio voltandosi verso Alfredo. – Lui l'ho già conosciuto.

E Piergiorgio raccontò brevemente dell'incontro del pomeriggio.

– Mi dispiace sinceramente che Raimondo sia stato così brusco – disse Zeno, dopo qualche secondo di silenzio. – Non è una persona facile, e non ha avuto una vita facile. Da giovane è stato in un ospedale psichiatrico, in manicomio, per parecchi anni, fino a quando con la legge Basaglia non sono stati chiusi. Io l'ho assunto per badare alla tenuta, come custode, e non me ne sono mai potuto lamentare.

– E per il Ligabue – buttò lì Alfredo, con nonchalance.

– Ah, sì, certo – disse Zeno levando l'indice. – Quasi me ne scordavo.

– Ligabue?

– Sì, Raimondo dice di essere stato in manicomio con Antonio Ligabue, il pittore – rispose Alfredo. – E quando ne trinca un paio di troppo sostiene che Ligabue gli ha regalato una sua opera autentica, fatta mentre erano insieme.

– Ed è plausibile?

Mentre aspettava la risposta, Piergiorgio accostò il naso al bicchiere e si immerse negli effluvi del cognac. Nulla da fare, l'odore del custode non era solubile in alcol.

– Plausibile, certo – confermò Zeno, accarezzandosi la barba. – Ligabue in manicomio ha soggiornato non poco tempo, e per tre anni nello stesso periodo di cui parla Raimondo, a San Lazzaro, vicino Reggio Emilia. Sul fatto che avesse stretto amicizia con Ligabue, tanto da farsi regalare un'opera, sono un po' dubbioso. Ma è anche vero che il mondo è pieno di Ligabue autentici letteralmente regalati per un pezzo di pane, o per un bicchiere di lambrusco. Disegni, acqueforti, a volte sgorbi a carboncino fatti sulla tovaglia dell'osteria.

– E lei non ha mai tentato di vederlo, questo fantomatico Ligabue? O di comprarlo?

– All'inizio, certo. Poi devo dire che la cosa mi ha un po' stancato, anche visto e considerato che si rifiuta recisamente di mostrare l'oggetto in questione, anche a me che credo di essere l'unica persona al mondo che ha in qualche modo la sua fiducia.

– Verissimo. A me, per esempio, mi odia – completò Alfredo. – Senza se e senza ma. Una volta che ci siamo trovati da soli, mi ha detto chiaro e tondo che se mai dovessimo vendere Poggio alle Ghiande mi verrebbe a cercare e mi taglierebbe la gola. Parlare con Raimondo non è semplice, è un uomo molto rigido e diffidente. E ultimamente l'ho trovato parecchio peggiorato, si innervosisce per nulla.

– Sì, l'ho notato – riconobbe Piergiorgio. – Probabilmente è anche a causa della malattia, sa.

– Malattia?

– Il pemfigoide. Sa, quella macchia che ha sulla mano sinistra...

– Quella? Non è una puntura di ragno?

– No, sono sicuro di no – scosse la testa Piergiorgio. – Il nome tecnico è pemfigoide senile di Lever. Conviverci è veramente difficile. Dà prurito, dolore. Molto arduo da sopportare.

– Lei dice? Guardi che Raimondo ha una sopportazione del dolore che è veramente fuori dall'ordinario, sa?

– Pensi che una volta si è tagliato un dito da solo – disse Alfredo, quasi soprappensiero. – Gli era rimasta la mano incastrata in un macchinario...

– Una impastatrice – precisò Zeno.

– ... e per non venire trascinato dentro l'ingranaggio ha preso il marrancio e...

– Sì, sì, ce lo ricordiamo tutti – disse Zeno, mettendo una mano ben curata, ma ferma, sull'avambraccio del fratello. – Scusi, ma la malattia di cui parlava prima, questo pemfigoide... Ma è grave?

– Se non curata, in casi rari può diventarlo, sì – confermò Piergiorgio. – A questo stadio, credo che sia controllabilissima. Solo fastidiosa. Se fossi il suo dottore, comunque, gli direi che dovrebbe farsi vedere da uno specialista e farsi curare.

– Gli parlerò – disse Zeno, dopo essere rimasto pensoso qualche secondo. – O meglio, cercherò di parlargli. Non sarà facile.

– E ci credo – disse Alfredo, comprensivo. – Il poveretto si è preso chilotoni di elettroshock per una ventina d'anni. L'argomento «dottori» non credo sia il suo preferito. E qui sono d'accordo con lui.

– Be', non hai tutti i torti – dichiarò Zeno. – In effetti, professor Pazzi, lei comincia a inquietare anche me. È arrivato da nemmeno mezza giornata e ha già diagnosticato due malacci. Lei non ce la fa a separare le persone dai pazienti, eh?

Piergiorgio guardò il collezionista.

Non era la prima volta che a Piergiorgio veniva fatta questa osservazione, cioè di essere incapace di mettere da parte la propria professione.

Ma quella non era solo la sua professione.

Il fatto è che, a livello sociale, Piergiorgio non era mai stato un granché. Alle elementari, era quello che non sapeva giocare a pallone, alle medie quello che studiava troppo, e al liceo quello più imbranato con le ragazze.

Fino a tutto il liceo, il suo ruolo alle feste e alle cene di classe non era molto lontano da quello della carta da parati: qualcosa che non parla, che si nota appena, e di cui solitamente si auspica la rimozione.

Poi si era iscritto a medicina, e l'andazzo era cambiato. Amici nuovi, ambiente nuovo, tanto da studiare e troppo poco tempo da dedicare a chi non ha i tuoi stessi ritmi e non studia la tua stessa materia. E Piergiorgio Pazzi era diventato quello che dava gli esami a raffica senza disdegnare delle nottate di birra e follia, mentre i suoi amici che un tempo erano fighi faticavano a completare persino la laurea triennale di corsi scelti più per inerzia che per passione.

Piergiorgio invece si era laureato in medicina, senza andare fuori corso di un singolo semestre; ed anche il rapporto con i suoi vecchi amici di un tempo era cambiato. Adesso era il dottore. Adesso era quello a cui chiedevano informazioni, consigli, e in un paio di casi aiuto.

Tutto questo aveva piano piano, e irreversibilmente, cambiato il modo in cui Piergiorgio vedeva il mondo. Ivi inclusa la conseguenza che la scienza medica, per Piergiorgio, non era una professione, ma un modo di vivere e di pensare.

Il che, intendiamoci, a volte lo rendeva un po' rompicoglioni.

– Ha ragione. No, credo di non esserne più capace –. Piergiorgio si guardò intorno, vagamente spaesato. – Vede, Zeno, lei stasera è stato così gentile da mostrarmi la sua collezione. Io ho visto alcune cose che mi sono piaciute, ma credo che le persone che avevano maggiore competenza se la siano goduta e l'abbiano apprezzata molto più di me.

– La bellezza è negli occhi di chi guarda – rispose Zeno, con gli occhi verso l'alto ma sorridendo comprensivo, un po' come un prete a cui il chierichetto preferito confessa un inquietante numero di seghe.

– Certo, è verissimo – rispose Piergiorgio, trattenendo a fatica uno sbadiglio. – È un modo molto bello di dire che a un oggetto ogni singolo essere umano dà un significato diverso. Non è solo questione di sensibilità, ma anche di consapevolezza di quella persona. Gli appare diverso a seconda di quella che è stata la sua vita, di quello che ha studiato, di quello che sa fare, e di quello che gli hanno chiesto di fare. Per chi ha in mano un martello, a volte tutto quanto sembra un chiodo. E con questa perla di saggezza, signori...

– Per carità, professor Pazzi – disse Alfredo, alzandosi. – L'abbiamo trattenuta in piedi anche troppo. Domattina lei ci serve in forma. Le ricerche sono sue, ma le vene sono nostre, sa?

Dopo di che, fu Zeno a riprendere la parola:

– A proposito, dottor Pazzi, con le sue analisi lei potrebbe dire a ognuno di noi due quanto ce li abbiamo lunghi, i telomeri?

– Be', certo. Volendo, certo. Però è una informazione relativa...

– Appunto. Quello che intendo, professor Pazzi, è che se noi le chiedessimo chi di noi due ha i telomeri più lunghi, lei sarebbe in grado di dirci chi di noi due ha maggiori probabilità di morire prima. Questo, sulla base di quello che lei ha appena detto, secondo le attuali conoscenze scientifiche. Non è così?

Piergiorgio rimase un attimo interdetto.

Gli venne in mente l'architetto, che poco prima, canticchiando, camminava a passi lenti e regolari su e giù per la stanza.

Come se ci fosse qualcosa che non capiva. Comunque, aveva fretta di andare a dormire, e non aveva voglia di imbarcarsi in una ulteriore discussione.

– Sì. Sì, direi che più o meno è così.

Due settimane dopo

Dalla posta dell'architetto

Da: marco.giorgetti@studiochiorboni&giorgetti.it
A: paolo.giorgetti@distoc.unipi.it

Carissimo fratello mio,
ci sono costruzioni che durano, e costruzioni che durano un po' meno.

Il che, prima di iniziare a raccontarti di quello che è successo stasera, mi porta a renderti edotto della meravigliosa vita di Maramao di Atene.

Maramao di Atene era figlio di Bubusettete di Samo, architetto e scultore contemporaneo di Pericle, che si vide bocciare il proprio progetto per il tempio di Atena sulle colline dell'Acropoli, che prevedeva una costruzione gigantesca, con sei ordini interni di colonne, sovrastata da un fregio che riportava inciso, a lettere grandi quanto un elefante, la scritta «MIRATE POPOLI TUTTI DELL'ELLADE QUANTO CE L'HANNO GROSSO AD ATENE»*. Il progetto, ritenuto sfarzoso, ridondante e troppo costoso, venne bocciato severamente dall'assemblea, che consigliò all'architetto di concentrarsi su edifici di dimensioni ridotte e che, soprattutto, costassero meno.*

Memore della batosta presa dal padre, il figlio Maramao realizzò il Partenino, con il quale tentò di simboleggiare l'austerità tipica del duro periodo storico. Il tempio era caratterizzato dalle ridotte dimensioni (era alto appena tre peli traci, pari a cm 59, e ci si poteva entrare soltanto strisciando sui gomiti, tipo incursori della marina) e dalla statua di Atena Sòdomos, o «Atena che ti va nel culo», una scultura della dea raffigurata in un altero gesto dell'ombrello. Il fatto che l'opera architettonica fosse stata costruita interamente con blocchi di feta ne compromise la funzionalità sin dai primissimi tempi dalla sua ultimazione, in quanto pare che al suo interno il puzzo fosse «superiore a quello di un manipolo di spartani dopo la battaglia (Diogene Laerzio)»; sentitisi offesi dall'architetto e dalla sua opera, gli ateniesi tramite voto democratico decisero per l'ostracismo preceduto dall'obbligo di mangiarsi interamente l'opera senza nemmeno un'olivetta per buttarla giù.

Questo, caro il mio, ci impone una doverosa riflessione sul come costruire il mirabolante complesso architettonico-ludico che ci accingiamo a cominciare per conto della SeaNese.

Perché sì, caro mio, ci siamo.

I fratelli Cavalcanti, Zeno didietro e Alfredo davanti, hanno finalmente rotto gli indugi e ci hanno comunicato la loro decisione di vendere la tenuta. Per inciso, la comunicazione non è stata esattamente una roba asettica da consiglio di amministrazione, quelle riunioni dove arriva l'amministratore dileguato e ti dice via Scàip che la policy dell'azienda impone un reasset delle competences e quindi, dopo aver analizzato la situazione, ci tocca analizzare un buon trenta per cento dei dipendenti, nel senso che glielo buttiamo nel culo e si licenziano, il consiglio a larga maggioranza approva e via, aperitivo, troie&coca.

La decisione ci è stata data a cena, con modalità quantomeno curiose, di fronte a tutti gli affittuari, i famigli e gli ospiti della tenuta. Infatti Alfredo, prima di comunicare, ha spiegato che i fratelli, non riuscendo a smuoversi dalle loro posizioni e non trovando nessun possibile terreno di discussione, avevano preso poco tempo prima di demandare la decisione alla biologia.

In pratica, hanno fatto convocare un genetista e si sono fatti analizzare (non nel senso di prima, eh, anche se credo che entrambi non disprezzerebbero) e si sono fatti dire chi di loro due aveva la maggior probabilità di campare di più, secondo le attuali conoscenze della scienza medica. La decisione era stata presa a priori: chi campa di più, ha ragione.

È venuto fuori che a campare di più, almeno secondo i dettami dei moderni Esculapii, sarà Alfredo. E senza attendere nemmeno l'esito delle controanalisi, come per l'antidoping, il dado è tratto.

Questo è quanto hanno detto a cena, stasera, dopo il caffè. E sarà stato il caffè, sarà stato il caldo, non ce n'è stato uno che non si sia incazzato come un ippopotamo, sembrava di stare nella sala d'aspetto dell'esorcista.

S'è incazzato Torregrossa, il meccanico, che è uno che non ci litigherei nemmeno se mi dessero un bazooka perché credo sarebbe in grado di annodarlo, che ha comin-

ciato a dire te Zeno ci avevi assicurato che non avresti mai venduto e che non c'era alcun bisogno di vendere.

S'è incazzata Giancarla, l'alchimista, che non ha detto niente ma si è messa a sbriciolare le croste di pane che se al posto del pane ci fosse stato il collo di qualcuno sarebbe stato meglio.

S'è incazzato Piotr, il polacco, quello delle pulizie, che secondo lui vendere agli infedeli è peccato mortale e altre cose che non ricordo perché non lo càava nessuno e non vedo perché io avrei dovuto.

S'è incazzato il maestro Della Rosa, che ha cominciato a dire te guardalì vai a fidarti della scienza, certo lei professore se invece di venire qui a contare i telomeri andava un po' in camporella a sdraiare la sua amica con gli occhi verdi sui papaveri si stava meglio tutti, ma lì non è il caffè, è che era sbronzo.

A quel punto s'è incazzato Pazzi, già da uno con quel nome c'è da aspettarsi di tutto, dall'ira alla congiura, che s'è messo a sbraitare che era stato manipolato e che lui era uno scienziato e non uno stregone e che mai e poi mai se avesse saputo si sarebbe prestato a interpretazioni così ingiustificate di quella che era una mera probabilità, e che, cito a memoria, se volevano dare la responsabilità a lui avevano sbagliato palazzo e che avrebbe preferito di gran lunga anche lui andare a trombare invece di venire convocato a presa di giro perché qualcuno sperava che dicesse il contrario di quello che aveva detto e poi venire accusato di cose che non lo riguardavano.

A questo punto credevo si sarebbe incazzata anche la filologa, che come t'ho già detto ma te lo ripeto è una to-

pa clamorosa, ma siccome è anche un crostino credevo sarebbe andata sul muso al Pazzi, e invece niente, si è alzata e è andata via.

Meno male che al posto suo s'è incazzato Raimondo, quel tizio che ti dicevo un paio di settimane fa, che all'interno della tenuta a parte lavarsi fa tutto lui. Lui però è valso il prezzo del biglietto, pareva un film di Sergio Leone. S'è piazzato davanti a Alfredo e lo guardava senza dire niente. Allora Alfredo gli ha chiesto se anche lui non avesse niente da dire, e Raimondo senza cambiare espressione gli ha detto «io so solo una cosa, che io son quello che ti scava la tomba».

E te lo metto fra virgolette, mio carillimo, perché sono state le sue esatte parole.

Insomma, mio carèrrimo, scene western, ma di quelle di quando s'era piccini, che andavamo al cinema con le fionde e le pistole a fulminanti.

E non s'è ancora acquietato, perché stamani ho già avvertito un po' di maretta e prima sentivo diverse persone giù davanti alla casa padronale che parlavano di Raimondo e lo cercavano. Via, tocca vestirsi e fare la valigia, perché mi sa che ora come ora questa gente non mi vede volentieri. Poi toccherà tornare, però, perché qualcuno lo dovrà costruire, l'ecomostro. Per il momento ti saluto,

Il tuo affezzzzzzionatissimo (con 6 zete, che non le metto a tutti),

Votàlfiasco Romeo Giorgetti

Cinque

Correre correttamente è più difficile di quanto si pensi. Da un punto di vista meccanico sarebbe un gesto naturale, nient'altro che una successione di cadute controllate di cui evitiamo l'esito rimbalzando sui nostri stessi piedi. Si cade in avanti, si lancia lo stinco fra noi e il terreno e si rimbalza sull'avampiede.

Più facile dirlo che farlo, anche tenendo conto che il momento fondamentale dell'azione è l'appoggio, il momento in cui il piede tocca terra. Occorre appoggiare il piede sulla parte esterna, e solo quando questo tocca terra ruotarlo rapidamente con un movimento di pronazione; in questo modo si rilascia l'energia elastica accumulata nel tendine di Achille, e il podista scatta in avanti con baldanzosa efficacia. Il tallone, in teoria, non tocca terra manco per un breve saluto.

Purtroppo, molti di noi imparano a correre calzando sin da fanciulli scarpe ammortizzate, e corrono appoggiando in terra per prima cosa il tallone, il che equivale a frenare: un classico esempio di come la tecnologia ci impigrisca e non ci permetta di imparare gesti che ci riuscirebbero naturali, se avessimo tempo di impararli correttamente.

Per imparare a correre correttamente, e usare il proprio piede come se fosse una molla e non una stampella, occorre tempo, dedizione e concentrazione. Bisogna stare attenti non solo a dove, ma a come metti i piedi.

Fu per questo motivo, probabilmente, che Piergiorgio quella mattina non si accorse subito dell'incendio.

Piergiorgio, dopo aver controllato il cronometro, rallentò lievemente l'andatura e si infilò deciso sulla strada sterrata dentro al bosco. Quindi, dopo qualche passo molleggiato, alzò la testa e riprese la corretta postura di corsa. Intorno, parecchi passeracei di diverse specie cantavano, inspiegabilmente contenti di essersi svegliati alle cinque e mezzo di domenica mattina.

Solitamente, non c'è essere umano che sia insensibile alla spontanea sinfonia degli uccellini. Ma se quell'essere umano si chiama Piergiorgio Pazzi, ed è concentrato sul funzionamento dei propri piedi, il sottofondo musicale rischia di passare in secondo piano. Se poi il Piergiorgio Pazzi in questione è concentrato sui piedi per evitare di considerare cosa gli sta succedendo in testa, anche il cinguettio dei passerotti rischia di diventare molesto.

Piergiorgio, infatti, rimuginava. Ogni tanto, mentre era occupato a controllare i propri piedi e a mantenere l'equilibrio e la corretta postura, non poteva fare a meno di tornare con la mente alla sera prima.

– Bene, professor Pazzi, sono contento che sia tornato a trovarci – lo aveva accolto Alfredo. – Mi ha detto Margherita che stavolta è venuto in automobile.

Alfredo Cavalcanti, seduto su una poltrona arancione di pelle dalla forma simile a un grosso dodo che poteva essere mobilio, opera d'arte o entrambe, era sempre vestito da gentiluomo di città, ma sembrava un pochino più strapanato della volta precedente, e aveva l'aria di non aver dormito benissimo. Zeno, invece, adagiato comodamente su quello che sembrava essere il suo divano preferito – sì, il puzzle di cazzi – sembrava in gran forma.

– Sì, stavolta sì – aveva risposto Piergiorgio, appoggiando a terra lo zainetto di pelle con dentro il portatile. – Sono in partenza per una settimana di vacanza, e portarmi il bagaglio in treno mi sarebbe stato scomodo. Vi ringrazio, anzi, dell'ospitalità per questa notte.

Senza contare che così mi evito di scartavetrarmi sull'asfalto stando dietro a quell'altra. Il cuore è importante, ma alla pelle ci tengo.

– Ma si figuri, anzi. Se volesse fermarsi anche qualche giorno, visto che è in vacanza... A proposito, dove va di bello?

– All'Isola d'Elba. Marina di Campo.

– Ah, Marina di Campo. È rimasto impressionato da Lloyd, o ci va spesso?

– No no, ci vado spesso. È il paradiso del triathlon.

– Ah, il triathlon. Corsa, bicicletta, nuoto. Mantiene in forma.

Sì. E soprattutto, quando hai trentatré anni e sei solo, è un ottimo metodo per passare il tempo.

– Del resto, si vede a occhio nudo che il professor Pazzi è in forma smagliante – aveva detto Zeno, con aria sorniona. – Asciutto e tonico. Non come noi, caro Alfredo.

– Parla per te – aveva replicato Alfredo. – Io di attività fisica ne ho sempre fatta. Con tutto che il tempo per farne ce lo avresti anche tu. Se fai fatica a stare seduto non coinvolgere anche me. E comunque, anche questo si dovrebbe vedere dalla lunghezza dei telomeri, vero, professor Pazzi?

E dagli con 'sti telomeri. C'erano fissati.

– Sì, assolutamente. Stile di vita, attività fisica, dieta. Le telomerasi funzionano meglio.

– Bene, dottor Pazzi, a questo punto non ci può nascondere l'orrenda verità – aveva detto Zeno, indicando sé e il fratello. – Lei ha qui due uomini assolutamente identici dalla nascita, che però hanno avuto due vite diverse. Io placido e tranquillo, zero attività fisica, ma tanta serenità e cibo buono. Alfredo scattante e proattivo, come dicono i giovani, che va sul tapis roulant mentre si informa sul fixing dello yen al cellulare e mangia la prima cosa che gli capita a tiro –. Zeno si era concesso un piccolo sorrisino sardonico. – Ci dica, se ce lo può dire: chi di noi due, secondo la scienza medica, ha maggiore probabilità di sopravvivere all'altro?

– Se proprio volete saperlo...

Piergiorgio aveva tirato fuori il portatile, non per darsi un'aria professionale, ma perché non si ricordava assolutamente il risultato. Dopo un paio di minuti, necessari per trovare ed aprire il giusto file e sufficienti ai due gemelli per scambiarsi qualche ulteriore frecciatina su chi dei due ce l'aveva più lungo – il telomero, si intende – Piergiorgio aveva annuito un paio di volte, dopo di che aveva aperto bocca.

– Però. Sì, c'è differenza, ed è anche marcata. Zero punto uno unità TS, cioè rapporto tra telomero e single-copy gene – aveva aggiunto, in maniera abbastanza inutile ma che dava un'aria di sicura competenza.

– Zero punto uno. È poco o è tanto?

– È una deviazione sensibile. Rispetto alle deviazioni standard, direi robusta.

– Ah. E chi è il fortunato?

– PP 33/Alfa. Cioè... – Piergiorgio aprì un altro file – Cavalcanti Alfredo, nato a Casteldelpiano il 20 marzo 1958.

I due fratelli si erano guardati negli occhi. Entrambi interdetti, ma Zeno di più.

– Ne è sicuro? – aveva chiesto Zeno.

– Assolutamente – aveva confermato Piergiorgio, dopo aver controllato nuovamente. – Questo però, mi corre l'obbligo di avvertirvi, non vuol dire assolutamente nulla di conclusivo. Si parla di una probabilità, di una correlazione, non di una certezza. E poi queste caratteristiche sono dinamiche. Se lei iniziasse a mantenersi in forma, per esempio...

– Non è la mia salute che mi interessa, professor Pazzi – aveva replicato Zeno sorridendo, ma solo con la bocca. – Non si preoccupi. È solo che... vabbè, comunque il dato è questo, non ci si può far nulla – aveva detto, guardando Alfredo che adesso faceva fatica a trattenere il sorriso.

Piergiorgio aveva creduto di capire.

– Avevate scommesso qualcosa fra di voi?
– Si vede così tanto, eh?

Poi, era successo quello che era successo.

E così Piergiorgio continuava a correre, cercando di mantenere l'attenzione sulla falcata e tentando di riacchiapparla ogni volta che invece ritornava a Margherita. Ignorando, nel contempo, ogni altra informazione esterna, finché possibile.

Ma, come abbiamo già detto, alcuni stimoli sono impossibili da ignorare. Puoi chiudere le orecchie al canto delle allodole, puoi focalizzare quanto vuoi la tua vista sulla strada invece che sulle fronde, ma se ti arriva alle narici un odore netto e intenso non puoi far finta di non aver sentito.

O meglio, a volte puoi. Dipende tutto dalla capacità di analizzare l'odore in maniera cosciente, e di dargli un significato corretto.

A volte un odore gradevole non significa necessariamente che l'oggetto che lo emana è buono da mangiare. L'odore dell'amanita verna, per esempio, è gradevole, e anche quello degli idrocarburi aromatici non è male, ma ben pochi pasteggerebbero a funghi velenosi e benzina.

C'è poi anche il contesto sociale, quel misto di buona educazione e timidezza che fa sì che se l'odore in questione è quello di un pesante scorreggione, e sei in uno scompartimento di treno con uno sconosciuto, e siete in due, di solito si tende a far finta di niente.

Ma se l'aroma è un odore di bruciato, di fumo, e sembra aumentare di intensità man mano che corri, allora non puoi fare a meno di guardarti intorno.

E se vedi fumo che si alza a un centinaio di metri da te, e sotto il fumo ci sono le fiamme di un incendio, forse puoi anche continuare a correre.

Ma sarà meglio, prima, cambiare direzione.

– Un incendio? Dove?

– Non te lo so spiegare – fiatone. – Ti ci accompagno.

Riccardo Maria Torregrossa, tirando fuori di tasca il cellulare, si incamminò verso l'automobile.

– Ma vuoi andare – fiatone – in macchina?

– Ci si mette meno. E poi in caso d'incendio può essere un riparo. E in caso di fuga te corri, io rimbalzo –. Staccandosi il cellulare dall'orecchio, Riccarco lo guardò come se fosse colpa sua, per poi riattaccarselo all'orecchio. – Cazzo, Raimondo non risponde. Senti, magari è già lì. Intanto dimmi più o meno dove eri. Pronto, sì, centoquindici? Chiamo da Poggio alle Ghiande.

Quando arrivarono sul luogo, l'incendio sembrava già meno minaccioso di prima. Forse perché adesso erano in due, e uno sapeva decisamente cosa fare. L'altro che avrebbe saputo cosa fare, Raimondo, continuava a non rispondere al telefono.

Dopo aver parcheggiato l'automobile con il muso in direzione opposta al fuoco, Riccardo era sceso e aveva aperto il bagagliaio.

– Allora, la macchina la lasciamo qui. Abbiamo due

vie di fuga, una in auto e una a piedi. Adesso aspettiamo che arrivino i forestali, e intanto... – Riccardo Maria tirò fuori il cellulare – ... mando un messaggio a Zeno e Alfredo. Se ti dico che è il momento di andare via, andiamo via.

– Tranquillo che al fuoco non mi avvicino – disse Piergiorgio.

Ma nemmeno per idea.

Le rare volte che Piergiorgio aveva visto un incendio, l'aveva visto in televisione o al cinema, e non gli aveva fatto questo effetto.

In televisione non avverti l'odore scuro e opprimente del legno bruciato, che arriva anche se sei sottovento. E al telegiornale non senti il crepitare secco dei rami e non li vedi staccarsi dal tronco dopo essere stati schiantati dalle fiamme, e cadere a terra tra le fiamme, contorcendosi nel cadere come se invece di rami fossero animali che si arrendono al destino.

– Non è il fuoco che mi fa paura, è il fumo – disse Riccardo. – Se cambia il vento arriva prima il fumo. Negli incendi la gente di solito non muore ustionata, muore soffocata. Noi ora dobbiamo solo aspettare i vigili del fuoco.

– Credevo che tu avessi degli estintori. Roba professionale.

– Ce l'ho. Ma sono a anidride carbonica. Usare un estintore a CO_2 all'aperto serve tutt'al più a fare ginnastica. C'è vento, porta via il gas. L'unica è buttare acqua col canadair.

Fu come se le parole di Riccardo avessero alzato il

sipario. Da dietro la collina, spuntò un grosso aereo giallo e rosso che cabrò lentamente, o almeno così sembrava, verso l'incendio.

– Eccoli – disse Riccardo guardando in su, con la mano a visiera sopra gli occhi, per poi dare una pacca sulla spalla a Piergiorgio. – Vai professore, in macchina. Si torna a casa base.

– Ma non vuoi guardare?

– Manco per idea – disse Riccardo senza nemmeno voltarsi. – Basta un minimo di rollio e ci arriva in testa un gavettone da qualche quintale. Una secchiata d'acqua che ti arriva da cento metri di altezza fa male, non ti credere.

In macchina, Riccardo aveva continuato a guardare il cellulare, e non aveva detto un gran che.

Piergiorgio, che pure era in grado di passare ore in uno scompartimento di treno senza spiccicare parola e ignorando completamente i compagni di viaggio, non sopportava bene l'idea di stare in auto con qualcuno senza parlarci. Quindi, se non altro per rompere il silenzio, fece una domanda dalla risposta ovvia, come facciamo tutti.

– Preoccupato?

– Eh sì – rispose Riccardo, guardando sempre il cellulare.

– Ma non dall'incendio, vero?

– No, no –. Riccardo si voltò verso Piergiorgio. Si vede che non aveva bisogno di guardare la strada. – Solo che Raimondo non mi ha più risposto. E il primo ad arrivare sul luogo dell'incendio, di solito, è sempre lui.

– Di solito? Cioè, capita spesso?
– Eh, da quando ho casa qui tre volte.
Piergiorgio lasciò passare qualche secondo, ma in realtà aveva capito benissimo fin da subito.
– E Raimondo arriva sempre primo – affermò, cauto.
– Sempre.
– Ah.
– Eh.

Di fronte alla casa padronale, Zeno e Alfredo aspettavano, come una coppia di nonni che attendono l'automobile dei figli carica di nipotini, che si sa che arriveranno ma chissà verso che ora. Riccardo parcheggiò praticamente sulle babbucce di Zeno, mentre buttava giù il finestrino.
– Sono arrivati. Hanno già cominciato a tirare col canadair. È roba piccola, più piccola dell'anno scorso.
– Ah, meno male – disse Zeno. – Raimondo è rimasto là?
Riccardo scese dall'auto, prima di rispondere. E non senza fare un respiro profondo.
– Senti, Zeno, Raimondo non l'ho visto. E non risponde nemmeno al cellulare.
Silenzio. Totale. Del resto, l'architetto Giorgetti dormiva ancora. E con lui, evidentemente, tutta la tenuta, loro esclusi.
– Scusate, sono le sei e cinquanta di mattina – tentò Piergiorgio, mostrando il cronometro digitale che aveva al polso. – Non è che è sempre lì che dorme?
Zeno, dopo aver aggrottato le sopracciglia, portò il

dorso della mano sinistra all'altezza degli occhi e consultò un Reverso che doveva costare più o meno come l'automobile di Riccardo, ma che molto democraticamente era d'accordo con l'ora che segnava il cronometro di Piergiorgio.

– Ieri siamo andati a letto tutti molto tardi, sì. Senti, Riccardo, riprova a chiamarlo. Intanto andiamo al casottino.

Ma al casottino, cioè all'abitazione di Raimondo in cima ai campi di paulownie, una volta che furono arrivati, non trovarono nessun Raimondo.

Né avrebbero potuto trovarne alcuno.

Perché, più o meno nello stesso momento in cui Zeno, Riccardo e Piergiorgio stabilivano con assoluta certezza che nel casottino non c'era assolutamente traccia di Raimondo Del Moretto, i forestali erano riusciti a spegnere definitivamente l'incendio.

Un incendio di dimensioni piccole, come aveva detto Riccardo.

Talmente piccole che, dai bordi della zona ancora intatta, si poteva distinguere bene una figura di forma umana sotto un albero, con le ginocchia a terra, rannicchiato come qualcuno che si sta difendendo da qualcosa, come delle fiamme intorno a lui.

Ma senza riuscirci.

La figura, carbonizzata, fumava ancora.

Sei

– Bene, allora – disse il colonnello Valente. – Professor Pazzi, mi dica.

– Ehm, sì. Allora, mi sono accorto dell'incendio verso le sei meno un quarto, circa. Stavo percorrendo il sentiero asfaltato che porta...

– Mi scusi – lo interruppe il colonnello. – Per quale motivo si trovava su quel sentiero?

– Mah, non saprei. Io non conosco benissimo la tenuta, e stavo percorrendo l'asfaltato...

– Sì, ma per quale motivo lo stava percorrendo?

Piergiorgio si guardò, come a voler invitare il colonnello a fare altrettanto.

Da una parte, se uno ha addosso scarpe da corsa, fuseaux alla pescatora neri con bande gialle da corsa e giubbotto arancione tipo operaio dell'ANAS con scritto «S. S. Fidippide – Magari morti, ma in fondo ci si arriva», la risposta gli sembrava abbastanza implicita, nella sua fosforescenza.

Dall'altra parte, Piergiorgio si stava chiedendo se per caso non stesse comprendendo bene la domanda.

– Stavo correndo. Per allenarmi.

– Sì, ma perché alle cinque e tre quarti di mattina?

Ah, ecco.

– Perché più tardi dovrei partire, cioè, a questo punto, sarei dovuto partire. Avevo il traghetto per l'Isola d'Elba alle nove e mezzo.

E invece, dopo essere stato un'oretta sudato nella brezzettina maligna delle sette di mattina ad aspettare sviluppi, Piergiorgio aveva aspettato un'altra oretta ormai asciutto ma pur sempre ingiovibile all'olfatto prima di poter essere interrogato dal colonnello Valente del Corpo Forestale, che aveva chiesto di poter parlare con le due persone che avevano segnalato l'incendio.

Un tizio alto, rigido, con la divisa inappuntabile come se fosse stata tagliata nel lamierino, tipo armatura medievale, e che dava l'idea di avere la corazza anche intorno al cervello.

– Capisco. Lei sa che nell'incendio è deceduta una persona, professor Pazzi?

– Sì, sì – disse Piergiorgio. – Raimondo, il custode. Ironia della sorte, proprio la prima volta che l'ho visto mi aveva messo in guardia sul pericolo di incendi.

– Mi immagino anche come – disse il colonnello, mostrando un accenno di essere umano fra le giunture della procedura. – Lo conoscevo un po', Raimondo. Non era certo un diplomatico.

– No, no. Direi di no. Quindi è... cioè, siete sicuri che sia Raimondo?

– Pare di sì. L'altezza corrisponde, e manca il dito mignolo della mano sinistra –. Ne sapremo di più dopo l'autopsia, stava per dire il colonnello, ma si trattenne. – Tornando a noi, mi diceva che due settimane fa Raimondo vi ha, diciamo così, detto qualcosa in modo brusco sul pericolo di incendi. La cosa è finita lì? Avete avuto un litigio, uno scontro?

– No, direi di no. Più che scontro, lo definirei un avvertimento in stile 'ndrangheta, ma con l'accento toscano – disse Piergiorgio, con un tono che sperò non risultasse faceto. – C'è stato qualcuno con cui è stato parecchio più esplicito.

– Per esempio?

– Be', ieri sera a cena ha promesso ad Alfredo Cavalcanti di scavargli la tomba. Cose che si dicono, intendiamoci, ieri Raimondo era parecchio arrabbiato. Aveva le sue ragioni, credo, ma era piuttosto sull'incavolato andante.

E non era il solo.

Il colonnello Valente, per quello che l'armatura gli permetteva, si chinò lievemente in avanti.

– Scavargli la tomba?

– Scavargli la tomba, sì. Le parole precise sono state «ricorda che io sono quello che ti scava la tomba». Raimondo è fatto così, colonnello, del resto lo conosce anche lei.

Riccardo Maria Torregrossa allargò le mani. Lo conosceva, gli venne da pensare. Ma era passato troppo poco tempo da quando gli avevano detto che quel coso di carbone nerastro in mezzo al boschetto era davvero Raimondo. Sarebbe passato qualche giorno, prima di cominciare a usare l'imperfetto.

– Ha voglia – disse il colonnello, con l'aria di quello che invece non ne avrebbe avuto nessuna voglia. – Non era una persona facile, no.

– Era stato in manicomio, lo sapeva?

– Non ne faceva mistero – confermò il colonnello. – Insomma, Raimondo dice al signor Cavalcanti che gli scaverà la tomba. Il signor Cavalcanti, a quel punto, che fa?

– E che vuole che faccia, signor colonnello? Resta lì, fermo, a guardare Raimondo.

– Non perde la pazienza? Nessun segno di irritazione?

– Ci vuol altro a far perdere la pazienza ad Alfredo – disse Riccardo alzando le spalle, e continuando a guardarsi le mani. – Senza contare che, insomma, anche lui magari non sta tanto a Poggio alle Ghiande, ma Raimondo lo conosceva piuttosto bene. Sapeva che prendeva fuoco per un nonnulla, ecco. Bel modo di dire del cavolo, mi scusi, non era mia...

– Non si preoccupi.

– No, colonnello, io invece sono preoccupato. E anche parecchio –. Dalle mani, lo sguardo di Riccardo Maria Torregrossa si spostò sul colonnello. Invece di una minaccia, il colonnello ci vide davvero preoccupazione. – Mi scusi, ma non capisco. Perché è tanto interessato a sapere se Raimondo aveva litigato con qualcuno?

Il colonnello Valente fece un gran respiro, per quel che la corazza gli permetteva. Riccardo Torregrossa era un meccanico di Formula 1, e di oggetti che prendono fuoco ne sapeva qualcosa. Gli sarebbe bastato tornare sul luogo dell'incendio, e lo avrebbe capito da solo.

– Vede, Riccardo, stanotte non c'era vento. Solo ora si è alzata una piccola brezza. Il bosco è bruciato per una certa estensione in maniera omogenea, quasi un cerchio perfetto.

Il colonnello tracciò con l'indice una traiettoria circolare sulla scrivania, che si concretizzò in una grossa O di polvere che dal piano del tavolo era passata sul dito dell'ufficiale.

– E lo sa dove era il corpo di Raimondo?

Il dito del colonnello Valente atterrò con delicatezza sul piano, come se avesse paura di rovinarlo, esattamente al centro del grosso cerchio.

– Precisamente qui, nel mezzo – verbalizzò il colonnello. – Questo significa una cosa sola, Riccardo. Che il fuoco è partito da Raimondo. Che, anzi, molto probabilmente Raimondo è stato il vero e proprio innesco dell'incendio.

– Cioè, lei dice che Raimondo potrebbe aver appiccato il fuoco... Che lo abbia fatto volontariamente?

Il colonnello guardò dalla finestra, prima di parlare.

– No, signor Torregrossa, non lo ha fatto volontariamente. Vede, io sono abbastanza sicuro che Raimondo non fosse nemmeno vivo al momento in cui è partito l'incendio.

Quindi, voltandosi, il colonnello tolse anche gli ultimi dubbi a Riccardo Maria Torregrossa.

– Adesso capisce, vero, perché vorrei sapere con chi ha litigato Raimondo ieri sera?

– Sì, ma non è stato l'unico litigio.

L'ingegner De Finetti, come sempre impeccabile nel suo completo giacca/cravatta/supponenza, sorrise al colonnello Valente. – Anche l'altro gemello, Zeno, e Raimondo hanno litigato, a dire la verità.

– Davvero?

Seduti l'uno davanti all'altro, l'ingegnere e il colonnello sembrava facessero a gara a chi dei due era una persona più seria dell'altra. L'ingegnere, dopo ogni frase, annuiva con un piccolo cenno del capo guardando il colonnello con l'aria compunta di chi dice tra persone serie ci si capisce. Il colonnello Valente, invece, guardava l'ingegnere come quello che, a casa, di bambini piccoli che fanno finta di sapere le cose dei grandi ne ha già due, di otto e dieci anni, e di averne di fronte uno di trenta e fischia sinceramente non ne ha bisogno.

– Li ho sentiti che saranno state circa le undici e trenta, undici e quarantacinque al massimo – affermò l'ingegnere. – Zeno diceva a Raimondo che era il solito testone, che non voleva ragionare, che i tempi cambiavano.

– E Raimondo?

– Raimondo urlava che erano tutti dei fascisti, che lui se era arrivato alla sua età era proprio perché non s'era mai fidato di nessuno e altre cose che non ho capito. Anche perché ogni tanto smetteva di parlare in italiano e attaccava col romagnolo e a quel punto...

– Un litigio violento, quindi?

L'ingegnere rispose con un sorrisetto, come a dire «ci siamo capiti».

Il colonnello, al contrario, non ci si raccapezzava molto. Che Alfredo e Raimondo litigassero, per quel poco che sapeva, era abbastanza normale; che invece fossero stati Raimondo e Zeno a prendersi a male parole gli sembrava veramente strano. Quei due gli erano sempre sembrati un po' come quelle vecchie coppie che non hanno nessun bisogno di parlare e che si intendono con un'occhiata. Certo, Zeno era il padrone e Raimondo il sottoposto, ma il vecchio era sinceramente affezionato a quello che, più che datore di lavoro, considerava il suo vero e proprio salvatore. L'unica cosa a cui Raimondo era affezionato in maniera paragonabile era il bosco di Poggio alle Ghiande.

– Scusi, posso permettermi... – cominciò l'ingegner De Finetti.

– Mi dica.

– Adesso, che lei sappia, l'incendio comunque è circoscritto? Il posto, voglio dire, la foresta è in sicurezza?

– Assolutamente. Data la natura dell'incendio, crediamo che non corriate alcun rischio.

– La ringrazio, ma non sono preoccupato per la mia persona. Non intendo, in verità, passare un minuto di più in questo posto. Cercavo solo di capire l'entità del danno.

– L'entità del danno?

– Vede, colonnello, come lei sa giusto ieri sera abbiamo concluso la prima parte della trattativa per il passaggio di proprietà. Questo episodio inevitabilmente rallenterà l'iter, e ne siamo consapevoli. Fortunatamente, il vostro pronto intervento è riuscito a limitare i danni, ma ciò nonostante quello che è fatto è fatto. Adesso dobbiamo pensare al futuro, sia io che lei, non trova?

Okay, ingegnere. Già prima mi stavi sul cazzo, adesso davvero lo fai apposta.

– Per quanto riguarda il mio futuro, caro geometra...

– Ingegnere.

– Caro ingegner De Finetti, questo è un problema mio. Per quanto riguarda il suo futuro, invece, anche quello è un problema mio. Devo pregarla di rimanere a Poggio alle Ghiande finché non avremo terminato le indagini.

L'ingegner De Finetti fece una risatina odiosa, di quello che la sa meglio di tutti gli altri.

– Colonnello, via, non scherziamo. Non se ne parla nemmeno. Io devo lavorare.

– Anch'io. Infatti, se lei dovesse lasciare la tenuta, sarebbe mio dovere segnalare la cosa al magistrato inquirente – notò il colonnello, calcando sulle parole che iniziavano per «dov». – Il quale, sia chiaro, è una mia supposizione, potrebbe anche ritenere che sia il caso di indagarla per omicidio.

Non sarebbe necessario aggiungerlo, ma verrà detto ugualmente, per completezza: ci furono due o tre secondi di silenzio.

– È suo dovere – disse dopo detto lasso di tempo l'ingegner De Finetti, con un sorrisetto forzato come un applauso al saggio di violino del cugino scemo. – Io, comunque, non ho niente da nascondere.

– Sì, certo, qualcosa da nascondere ce l'hanno tutti – disse l'architetto Giorgetti. – Io, per esempio, non le nascondo che da un punto di vista meramente lavorativo, questo decesso è una iattura colossale. Ma al povero signor Del Moretto è andata decisamente peggio, per cui c'è poco da stare qui a lamentarsi. Il mio povero nonno diceva che a novant'anni si sta male, ma che l'alternativa era parecchio peggio. Se d'altronde...

– Architetto, mi perdoni, non ho molto tempo e vorrei ancora sentire altre persone – si intromise il colonnello Valente. – La pregherei di rispondere alle mie domande, e di aggiungere solo lo strettamente necessario.

– Come se fosse facile – disse l'architetto, guardando il cielo. – Se io e lei sapessimo già fin d'ora cosa è necessario e cosa è superfluo, al fine dell'indagine, sapremmo già chi è stato, quando è successo, come ha fatto e perché. È un po' la critica che Popper muoveva allo storicismo di Marx, sa, notando che dato che gli eventi storici si verificano in seguito a sviluppi tecnologici, l'assenza di una data tecnologia nel passato rendeva assolutamente impossibile una analogia degli eventi futuri con quelli passati...

– Sì, sì, l'ho studiata anche io filosofia al liceo – mentì il colonnello Valente, che aveva fatto il linguistico. – Allora, mettiamola così: faccia delle aggiunte solo se le ritiene assolutamente opportune.

– Anche questo è problematico, sa? – rispose l'architetto, dopo aver pensato qualche momento, muovendo la folta barba a tempo con le smorfie della bocca. – Per esempio, è opportuno che io risponda alle domande di un ufficiale delle Guardie Forestali in merito a un reato che a tutta prima sembrerebbe un omicidio?

– Da un punto di vista legale, qualsiasi ufficiale dell'esercito ha il dovere di raccogliere le sommarie informazioni quando si verifica una circostanza di reato – rispose il colonnello, alzandosi per non dare a vedere che stava cominciando a innervosirsi di tutta quella compagnia. – E comunque, nessuno ha ancora pronunciato la parola omicidio.

– Bugia, bugia, signor colonnello – disse l'architetto, con un ditino che oscillava in qua e in là. – Lo ha fatto lei stesso una ventina di minuti fa, mentre interrogava, pardon, raccoglieva sommarie informazioni dall'ingegner De Finetti. Vede che anche lei ha qualcosa da nascondere?

Il colonnello riuscì a non rispondere, ma non ad evitare di diventare bordeaux.

– Non è l'unico, eh, caro colonnello – continuò l'architetto, con tranquillità. – Anche i signori Cavalcanti nascondono qualcosa, anche se non mi è chiaro il perché. Alfredo, ad esempio, tenta di nascondere che è in una situazione finanziaria scomoda, tipo quando si rompe una banca. Anche Zeno nasconde qualcosa, anche se non capisco perché. Quanto al cosa, se vuole le faccio un disegnino.

– Architetto, basta scherzare.

– Io, colonnello, sul lavoro non scherzo mai.

– Nessuno scherzo, no davvero. Qualcuno può pensare che è stato scherzo, che è stato stupido scherzo. Ma non è stato scherzo. Questo è affare grave. Glielo dice Piotr, che vive qui da tanto tempo –. Piotr Kucharski si guardò intorno, come se avesse paura di essere spiato. – Se io glielo dicessi a loro, loro riderebbero. Come se davvero anche questo è scherzo. Ma ho di fronte l'autorità, e allora devo dirlo.

Il colonnello Valente, come molti esseri umani, credeva che ci fosse un'alternanza negli eventi casuali. Dopo aver gettato testa, ci si aspetterebbe che debba venire fuori croce; dopo un coso sgradevole come l'ingegner De Finetti, e uno paradossale come l'architetto Giorgetti, per ristabilire l'equilibrio si sarebbe aspettato come minimo una bella figliola. Invece, siccome gli eventi casuali sono indipendenti e scorrelati tra loro, al posto di Scarlett Johansson gli era toccato questo tizio con gli occhi slavati, azzurri, da fanatico, le sopracciglia color sabbia che quasi non si vedevano e che si guardava intorno come se fosse braccato dalla Stasi. Una via di mezzo tra l'uomo e il geco, che era quasi peggio dell'ingegnere, e molto peggio dell'architetto.

– E allora me lo dica.

– Il motivo, signore colonnello – sibilò l'uomo dopo una ennesima controllata ai muri – è che questo posto è maledetto dal demonio.

No.

Ti prego, no. Il demonio no.

Sono le due, sono sveglio da stamani alle sei e digiuno da ieri sera alle dieci. Qualche ora fa ho trovato morto in mezzo alle stoppie qualcuno che conoscevo, e poco tempo dopo ho realizzato che qualcun altro molto probabilmente lo ha ucciso. Ho avuto una delle giornate più assurde e faticose della mia vita, ero convinto che fosse finita, e ora arriva Gollum e mi tira fuori il demonio.

Il colonnello Valente guardò il lavorante, restando serio.

– Mi scusi?

– Ha capito bene, signore. I signori Cavalcanti vogliono vendere agli infedeli, e questa è la punizione che ci tocca.

– Scusi, signor Kucharski, lei per infedeli intende...

– Signori Cavalcanti venderanno la proprietà – proseguì Piotr, con apparente tranquillità, tradita solo dagli occhi, che scattavano rapidissimi e fuori controllo. – Va bene, loro proprietà, possono fare quello che vogliono. Vogliono vendere ai cinesi, che unica religione hanno il comunismo, e questo non va bene. Io vengo dal comunismo, signore colonnello. So cosa fanno comunisti a persone religiose. Lei sa quanti cristiani sono rinchiusi nei Laogai, nei campi di concentramento di Mao? Quanti musulmani vengono torturati in regione Uguri? Quanti monaci buddisti in prigioni di stato nel Tibet, che per colazione hanno corrente elettrica e per cena legnate nei denti? Mi dica lei, colonnello, se questo non è il demonio.

Il colonnello Valente fece l'unica cosa che poteva fare.

Tacque.

Pensando, dentro di sé, che la globalizzazione faceva dei danni.

Un tempo il maniaco religioso era convinto che il demonio ce l'avesse solo con il suo, di dio. Ora invece si vede che qualcuno aveva fatto un passo avanti, e scopriva il villaggio globale. Chissà se poteva essere un progresso, da un punto di vista sociale? Fanatici di tutto il mondo unitevi, non avete da perdere che i vostri neuroni.

– Lei forse crede che io sono squilibrato, signore colonnello, ma io solo molto impaurito –. Piotr si guardò nuovamente intorno, le mani sulle cosce. – Demonio può essere dappertutto. Come si spiega che povero Raimondo preso fuoco da solo in mezzo a foresta, altrimenti?

Il colonnello Valente, che aveva temporaneamente posato l'armatura per indossare il saio benedettino, continuò a seguire il precetto del suo nuovo e temporaneo ordine. Inutile ricordare a persone come Piotr il gran numero di combustibili liquidi e solidi a cui l'uomo può fare ricorso.

– Raimondo era attentissimo, scrupoloso, come me. Solo il demonio può averlo ingannato –. Il polacco si piegò in avanti, come a rivelare un segreto. – Stia attento ad andare nella foresta, signore. Demonio arriva dappertutto, signore.

– Lo so, signor Kucharski – disse seriamente il colonnello.

Se è in grado di trapassare un centimetro buono di ossa craniche, figuriamoci cosa può fare in una foresta.

– Sì, in pratica nella foresta ci possono entrare tutti – confermò Giancarla, incrociando le dita e portando le mani sul ginocchio. – In teoria sarebbe proprietà privata. Sarebbe, congiuntivo. Il compito di Raimondo, uno dei compiti di Raimondo, era proprio quello di sorvegliare le recinzioni, di ripararle e di impedire l'accesso ai non autorizzati.

– Che sono tanti, immagino.

O meglio, so. Ci son passato anch'io, dalla foresta, per andare al mare. E anche la professoressa era una boccata d'aria di mare, d'aria pura, dopo l'ingegner De Finetti con la sua borsina di pelle, l'architetto Giorgetti con la sua barba scomposta e quel pazzo maniaco delle pulizie che vedeva Mefistofele anche nei sottobicchieri.

– Tutto il paese – confermò la donna. – Ma che passino, non importa. E anche ai proprietari non importava. Più che altro importa che non lascino sudicio, o che non facciano danni. Ecco, se Raimondo ti beccava anche solo a intagliare un cuoricino su un albero, c'era da aver paura –. Giancarla aggrottò la fronte, guardando il colonnello in modo aperto. – Era matto, sa?

– So. E mi sa che non era il solo. Ho appena parlato con l'inserviente, tale Piotr.

– Ah, sì, anche Piotr è difuori come un terrazzo, ma è innocuo – ridacchiò Giancarla. – Se anche dovesse innervosirsi basta fargli vedere una foto del papa e si calma. Quello suo, eh, quello polacco. Non questo che c'è ora, mi raccomando, che sarà anche stato eletto dagli uomini, ma quello vero era quello polacco. È un po' così, ma non c'è da aver paura.

– Se lo dice lei. A me ha appena detto che l'incendio è stato causato dal demonio...

– Dal demonio?

E qui il colonnello fu costretto a spiegare.

– E quindi il buon Piotr è convinto che Satana stia prendendo il dominio della tenuta – riassunse Giancarla, con un lampo di divertimento negli occhi. – Sì, devo dire che è da lui. Adesso, invece, mi dica: da me?

– Prego?

– Da me cosa si aspetta? Come potrei aiutarla? Mi ha chiesto se ho sentito le minacce di Raimondo ad Alfredo, e glielo confermo.

– Ha sentito anche il litigio fra Raimondo e Zeno?

– Come no. Un grande classico –. Giancarla scosse la testa. – Succede ogni volta che Zeno tenta di convincere Raimondo ad andare dal dottore.

– Ah, e ieri ci ha tentato di nuovo?

– Sì, era preoccupato perché pare che abbia... che avesse una malattia della pelle un po' brutta. Siccome il ragazzo che c'è qui ora, il genetista, gli ha detto che potrebbe essere una cosa seria, ha tentato di dirgli che era il caso di farsi vedere, ma meglio –. La donna districò le mani dal ginocchio, riaccavallò le gambe e le riallacciò sull'altro. – Pover'uomo, come sentiva dire dottore cercava la finestra più vicina. Sei anni fa ebbe il colpo della strega, era piegato in due come un computer portatile e non voleva medicine di nessun tipo. Gli abbiam dovuto tritare gli antidolorifici nel purè, come al gatto.

Giancarla ebbe un breve sorriso, ma durò poco. Quel tanto che bastava perché il colonnello si lasciasse scappare uno scampolo di confidenza.

– Gli volevate bene, vero?

Giancarla annuì, piano, ma sincera.

– Sì, gli si voleva bene. Era un rompicoglioni, puzzava come una discarica e a volte c'era da averne paura, ma l'ho sempre visto qui a Poggio alle Ghiande da quando ci sono. Se questo posto è così, è anche merito suo. Per cui – continuò Giancarla chinandosi sulla scrivania, e cominciando a scrivere su un blocchetto di carta – se posso fare qualcosa, qualsiasi cosa per aiutarla, mi chiami a qualsiasi ora.

E, con un gesto pratico, gli porse un foglietto con il numero di telefono.

– Grazie, professoressa.

– Giancarla.

– Grazie, Giancarla. Mi è già stata di grande aiuto.

– Non vedo come – disse la donna alzandosi, con calma.

– Non glielo posso dire – ribatté il colonnello, alzandosi anche lui.

Dopo che Giancarla fu uscita, il colonnello Valente rimase qualche secondo immobile, aspettando che il rumore dei passi sfumasse dal corridoio. Poi, preso il cellulare, cominciò a cercare un nome.

Puzzava come una discarica.

Beota a non averci pensato prima. Ormai viviamo nel mondo dei GPS, e ci scordiamo l'ABC. Balderi, Bencivelli, Benedini, Bernazzani. Eccoti qua. Chiamare numero.

– Pronto, Bernazzani? Sì, salve, sono Valente, si ricorda? Certo, certo, anch'io. Ora sono in Maremma, sotto Cecina. Bel posto, sì. Senta, Bernazzani – e qui il colonnello si guardò un attimo intorno, come Piotr – lei lavora sempre nel reparto cinofilo?

Sette

Avere la febbre, a volte, può anche essere piacevole. Una temperatura di trentasette e mezzo/trentotto, per esempio, è un qualcosa che ti impedisce di andare a lavorare ma non di leggere o di guardare la televisione. Se poi sei a casa, e tutti gli altri membri della famiglia stanno bene, e accontentano o magari anticipano ogni tuo piccolo desiderio – ti fa piacere un tè caldo con due tarallucci? Se non te la senti di venire a tavola la colazione te la porto a letto? Io esco a fare la spesa, vuoi che ti compri la «Gazzetta»? – quei due o tre giorni di febbre in realtà sono quasi terapeutici. Un po' come andare in una beauty farm: sudi, mangi poco e ti rilassi. Solo che sei a casa.

Se invece sei in viaggio, o in un posto che ti è estraneo, la febbre è veramente una iattura. Nel caso poi in cui quel luogo sia la camera di un casolare toscano ristrutturato, è ancora peggio.

Il letto non è il tuo letto, e già questo basterebbe. Anche il bagno non è il tuo bagno, ma poco importa, perché il tuo spazio di manovra finisce qui. Non c'è un frigo da depredare per improvvisi attacchi di fame o sete notturna, né un salotto da ispezionare alla ricerca di gialli mai letti o magari, meglio ancora, letti e dimenticati, ma mi ricordo che era bello. Problema aggravato dal fatto che hai dietro un unico libro, e quel libro si intitola *Atlas of immunodeficience diseases*.

Non c'è un televisore perché sei immerso nella campagna toscana e cosa te ne vuoi fare del televisore.

Non c'è Internet perché le pareti della tua stanza hanno uno spessore di ventisei centimetri ma in compenso sono tutte rinforzate in rete elettrosaldata, per cui l'unico modo per beccare la rete è mettere il tablet fuori dalla finestra con le braccia belle tese.

E anche chiedere a qualcuno che ti passi a fare un po' di compagnia non è per niente facile.

Perché, anche se non è per colpa tua, in questo momento stai sui coglioni a tutti.

– Mi scusi, Piotr...

– Dica, signore.

– Potrebbe aprire la finestra?

Emergendo dal bagno con l'adorata varichina in mano, Piotr guardò Piergiorgio come se non avesse capito bene.

– Signore Piergiorgio, fuori c'è vento. E freddo.

Sì, ma qui dentro c'è un puzzo di varichina che stacca l'intonaco dai muri.

– Per favore, Piotr.

– Come vuole. Però non prenda freddo. Da noi in Polonia se uno ha febbre deve stare caldo, al coperto, e caldo.

Guarda fuori dalla finestra e dimmi se ti sembra di stare in Polonia, deficiente. E poi apri quella cazzo di finestra prima che vada a vomitare, che poi ti insudicio il bagno e ti tocca ripulirlo con la varichina e poi così a me mi viene di nuovo da vomitare e si entra in un girone dantesco.

Piotr, dopo aver obbedito, si incamminò verso la porta della stanza. Solo una volta aperta, si voltò verso Piergiorgio.

– Ha bisogno di qualcosa di altro?

– No, non si preoccupi –. Ho solo bisogno che tu ti levi dai coglioni. – Grazie.

– Nemmeno di una bella tisana calda? – disse una voce femminile, appena dietro la porta.

Ora, se la proposta fosse venuta da una qualsiasi altra proprietaria di voce femminile ospite della tenuta di Poggio alle Ghiande, Piergiorgio avrebbe pensato che stava già abbastanza male senza bisogno di assumere anche quel perverso tipo di clistere per via orale. Siccome però la voce era quella di Margherita, anche il fatto che stesse entrando in camera con un vassoio con sopra due tazze di una roba color brodo di totano passava in secondo piano.

– Oh, salve. Salve. Accomodati. Grazie, Piotr.

– Se avesse bisogno di qualcosa altro...

Non lo chiedo di sicuro a te.

– Davvero, Piotr. Buona giornata.

L'uomo chiuse la porta, e Margherita guardò la stessa con aria sollevata.

– Io vado, ma il mio messaggio rimane – disse Margherita, dando una piccola annusata e guardandosi in giro. – E meno male che hai la finestra aperta.

– L'ho fatta aprire ora. Ma comunque mi sa che il gusto della tisana dovrai dirmelo te lo stesso, sono raffreddato marcio.

– È tiglio. Abbi pazienza, ma è l'unica cosa calda da bere che ho trovato in cucina. Sono finiti sia il tè che il caffè.

– Basta che non sia camomilla. Lì ti facevo uscire col vassoio e tutto.

– Allora posso rimanere.

Il cambiamento di tono fu impercettibile, ma c'era. Margherita guardò Piergiorgio negli occhi per la prima volta, da quando era entrata.

– Mi dispiace di averti messo in questa situazione.

– Quindi lo sapevi cosa mi avrebbero chiesto.

Margherita distolse lo sguardo da Piergiorgio, e lo abbassò sulle mani, mentre le dita tamburellavano con delicatezza, come per assicurarsi che funzionassero ancora.

– Sapevo che avevano intenzione di scommettere qualcosa tra di loro. Non mi immaginavo che riguardasse la vendita della tenuta –. Margherita riportò lo sguardo su Piergiorgio, che pur con la febbre addosso si chiese perché quella mattina sembrassero più belli del solito. – Invece, mi immaginavo che non lo avresti approvato.

– Sì – disse Piergiorgio, dando una ciucciatina esplorativa al bordo della tazza e trovando che fortunatamente la brodaglia era ancora rovente, e quindi non toccava ancora berla. – E allora perché l'hai fatto lo stesso?

– Ero convinta... senti, no, siamo sinceri. Ho fatto una cazzata. Non avevo capito bene le intenzioni di Zeno, è vero, ma avrei dovuto immaginarmelo comunque che ti saresti sentito...

– Manipolato? Sì, la sensazione è stata quella, in effetti. Ma la cosa che mi ha dato più fastidio è stato vedere usato un mio risultato, oltretutto parziale, in un contesto inappropriato.

Piergiorgio si azzardò a un sorso ulteriore. La tisana faceva schifo, ma almeno non era costretto a guardare Margherita negli occhi. Piergiorgio, infatti, apparteneva a quella categoria particolare di uomini che si imbarazzano quando devono spiegare a una persona particolarmente cara perché hanno ragione. Poi, intendiamoci, Piergiorgio lo faceva lo stesso: aveva imparato sulla propria pelle che prendersi torti che non si hanno, per mantenere la pace, è l'anticamera del servilismo.

– Lo sai anche te – continuò Piergiorgio. – Per il lavoro che facciamo essere precisi è fondamentale. E io magari sono talebano, ma ogni volta che sento tirare quello che dico come se fosse un foglio di gomma, o spingerlo per farlo entrare nel foro giusto, mi ribello. Non ci dormirei la notte se non lo facessi. Lo so, magari è un problema mio, ma sono fatto così. L'ho sempre fatto e non ho intenzione di cambiare.

Piergiorgio inspirò con aria ispirata i vapori dell'intruglio al tiglio, mentre cercava il modo giusto di dire quello che voleva dire in modo chiaro, ma anche sereno.

– Però se mi dici che non sapevi che la domanda riguardava la vendita della casa, la cosa cambia parecchio. È stato quello, maggiormente, che mi ha dato fastidio.

Piergiorgio aspettò ancora un secondo. Come sempre, quando si usciva dal professionale e si andava sul personale, diventava difficile mantenere la posizione. Specialmente se la cosa era andata come diceva Margherita – e PJ non aveva nessun motivo di dubitarne – sentiva di dover riconoscere a Margherita qualcosa. Se non altro la signorilità di chiedere scusa per qualcosa di cui non era pienamente responsabile. Il che ricordò a Piergiorgio un altro particolare della sera prima.

– Poi, anch'io ho qualcosa di cui scusarmi. Ieri a cena sono stato veramente maleducato. Ho reagito male e me la sono presa con la persona che c'entrava meno.

– No, ero io che ero nel torto. Tu hai...

– Senti, se andiamo avanti di questo passo arriveremo a scusarci di essere nati. Ci siamo chiariti. Per me, incidente chiuso –. Pausa, sorsetto, faccia dubbiosa. – Non so se sia il tiglio o se sono io, ma 'sta roba non sa veramente di nulla, vero?

Margherita non rispose. O almeno, non parlando.

Da quando era diventata una donna, e anche prima, Margherita era abituata all'ammirazione, all'omaggio e allo zerbinaggio maschile. Perché Margherita era veramente bella. E come capita ai belli, quando sono anche intelligenti, della cosa non gliene importava un gran che. Sapeva che la cosa sarebbe passata, e che su quell'aspetto probabilmente non c'era che da peggiorare.

Sull'altro fronte, invece, no. Margherita ci teneva a migliorare, a migliorarsi e ad avere intorno persone che ti aiutino a migliorare, e quindi non aveva nessun bisogno di beoti adoranti che ti danno ragione solo perché credono che basti far finta di ascoltare per portarti a letto. Margherita, in vita sua, si era innamorata veramente soltanto due volte. La prima volta di un suo professore di liceo, la seconda di un suo professore di università. Entrambi uomini da cui aveva avuto quello che cercava: una persona che le dicesse quando sbagliava.

Col professore di liceo, non c'era stato altro che una passione da adolescente della quale credeva di essere l'unica a sapere.

Col professore dell'università, le cose erano andate un po' più in là. Ed era finita quando la ragazza aveva capito che l'uomo era bravo a capire quando sbagliavano gli altri, ma non quando capitava a lui.

Quello che Margherita cercava, o sperava di trovare, era una persona che fosse capace di fare entrambe le cose.

Questo, probabilmente, aiuta a spiegare perché, prima di andare in cucina a preparare la tisana per Piergiorgio, Margherita si fosse truccata – cosa che di giorno le capitava di rado – facendo particolare attenzione a come si metteva il rimmel, ovvero il motivo per cui Piergiorgio, pur non riuscendo a individuare il motivo, aveva notato che gli occhi della ragazza sembravano più verdi e più brillanti.

Poi, dopo essersi messa un paio di orecchini di perle di fiume, aveva aperto il beauty che le aveva regalato sua mamma anni prima, e che si portava dietro solo per affetto, e si era messa due gocce di profumo dietro le orecchie.

E questa era davvero una cosa che non faceva praticamente mai.

Forse due volte, in vita sua.

Se Piergiorgio fosse stato lucido e in forma, si sarebbe accorto che Margherita si era truccata. Ma Margherita era stata talmente discreta nel mettersi il profumo che ci sarebbe voluto l'olfatto di un cane per accorgersi, a livello consapevole, che anche lo spettro odoroso della ragazza aveva decisamente cambiato aspetto. E Piergiorgio, oltre ad essere umano, era a) raffreddato b) intontito c) in una stanza dove erano passati Piotr Kucharski & Varichina, la dinamica coppia del pulito.

Un cane invece, un cane anche non in piena forma, avrebbe avvertito il cambiamento, proprio perché il segnale che lo trasportava era chimico: un certo numero di molecole, gli infinitesimali capolavori di architettura di cui è fatto il nostro mondo, invisibili, impalpabili e silenziose, e che i nostri sensi possono distinguere solo attraverso l'odore.

E così come noi siamo in grado di vedere una macchia di indaco in un quadro tutto rosso e giallo, così un cane sarebbe stato agevolmente in grado di distinguere il profumo della ragazza da quello di tutti gli altri oggetti della stanza, tisana e varichina incluse.

Potenzialmente, qualsiasi sistema che emetta molecole odorose può essere individuato dai cani. E per qualsiasi, si intende qualsiasi.

State cercando un DVD, o un CD? Niente paura. I dischi digitali sono fatti di policarbonato, un trenino lunghissimo costituito da un monomero particolare noto come bisfenolo-A, il quale allo stato puro ha un vago odore di ospedale. Nel corso della fabbricazione, parecchi di questi vagoncini molecolari non riescono ad attaccarsi al treno e rimangono soli, svincolati e liberi di librarsi nell'aere, e quindi di entrare nelle froge del canide. Questo può essere d'aiuto se state cercando, in generale, uno o più DVD dei quali non vi interessa la singola natura, come una partita di dischi di contrabbando in aeroporto, mentre è assolutamente inutile se avete perso il vostro film di Moana preferito in mezzo ai cartoni animati del bambino.

Se invece state cercando un essere umano, il cane è in grado non solo di seguire l'oggetto in generale, ma anche nello specifico, e di distinguere da persona a persona in virtù del particolare odore che questo emana. Il che può essere di grande aiuto nel tentare di seguire le tracce di una persona scomparsa, tanto più se quella persona si lava solo quando il Torino vince lo scudetto.

– Allora, Bernazzani, ci siamo – disse il colonnello Valente.

– Eh, ora si vede – rispose il brigadiere, guardandosi intorno.

La stanza in cui si trovavano, invece, non rispose.

Il brigadiere Bernazzani, un trentenne dall'aspetto abbronzato e soddisfatto tipico di chi passa gran parte della propria vita lavorativa all'aria aperta e gran parte del tempo libero a tavola, mentre guardava annusava. Non che ce ne fosse bisogno.

La casa in cui si trovavano, cioè quella che era stata l'abitazione di Raimondo Del Moretto, pur non essendo in grado di parlare poteva comunicare con gli esseri umani in molti altri modi. La camera da letto, per esempio, era un casino di giornali vecchi e scarpe sfondate, con due soli mobili, un letto con delle lenzuola più simili a una sindone che a un capo di bucato e un tavolo con sopra pezzi di legno, una morsa, delle lime e un televisore a tubo catodico. Ciò nonostante, la cosa che colpiva di più era l'odore. Il che, nella fattispecie, era un bene.

Accanto a Bernazzani, seduto sulle zampe posteriori e apparentemente insensibile al lezzo, stava un cane dall'aspetto gagliardo e salutare, con un palmo di lingua fuori e con l'aria solerte di chi non aspetta altro se non di poter correre dietro a qualcosa. Da un punto di vista veterinario, il cane era un bloodhound di tre anni e di taglia piuttosto considerevole, di nome Pitch. Dal punto di vista del Corpo Forestale dello Stato, Pitch era il miglior cane da ricerca di esseri umani di tutta la Val di Cornia, nonché il migliore amico del brigadiere Bernazzani, relazione ampiamente ricambiata.

– Eccoci, Pitch. Annusa, annusa bene.

Il brigadiere Bernazzani, presa da una cesta una maglietta, l'aveva messa di fronte al cane e aveva lasciato che l'animale si impregnasse bene di quell'odore di stanza abitata che anche lo stesso Bernazzani era in grado di percepire senza problemi.

Poi, con una pacca decisa ma morbida sul fianco dell'animale, dopo aver messo l'indumento nello zaino pettorale, il brigadiere uscì finalmente fuori di casa.

E in mezzo al bosco, fra l'aroma di pino e l'odore elettrizzante del vento che viene dal mare, l'afrore di bestia di stalla scomparve del tutto dalle narici e dal cervello del brigadiere Bernazzani e del colonnello Valente, ma non dalle nari del terzo ufficiale, quello a quattro zampe.

Dopo un breve giro su se stesso, Pitch si fermò un attimo, le due zampe anteriori erette e le lunghe orecchie penzoloni, come in posa per una foto.

Quindi, si diresse deciso verso un sentiero fra le frasche.

E Bernazzani dietro.

– Allora, dottore, ci dica – disse Margherita, con fare premuroso – il paziente, che in questo caso è un Pazzi-ente, ha possibilità di sopravvivere? Qual è la prognosi? Quanti giorni ci vorranno per tornare al cento per cento?

– Senti, è una frescata – disse Piergiorgio, dando un coraggioso sorso. – Vedrai che domani sto in piedi. Poi la varichina come antisettico fa miracoli, se anche avessi qualche forma di vita strana addosso in questo momento è bell'e soffocata.

– E una volta tornato verticale, hai intenzione di partire subito oppure, se qualcuno ti proponesse una pazzia...

– Dipende dalla pazzia – rispose Piergiorgio. Se quello che proponi è di tornare orizzontale e di farlo insieme a me andrebbe anche bene, ma ho come l'impressione che tu stia parlando d'altro.

– Benissimo, allora. Ti fidi di me? – chiese Margherita, per poi fare una risatina nervosa. – Aspetta, oggi come oggi potrebbe sembrare una frase infelice. Ti fidi di me, come filologa?

– Mi fido di te, scema. Anche come filologa.

– Perfetto, allora – concluse la ragazza alzandosi. – Riceverai spiegazioni scritte dettagliate oggi pomeriggio via posta elettronica. E nei prossimi giorni, si fa un po' di ricerca insieme.

Detto questo, la ragazza si chinò verso Piergiorgio come per dargli un bacio di saluto sulla guancia. Ma, arrivata col viso accanto al viso, gli accostò la bocca all'orecchio.

Già quello sarebbe bastato a Piergiorgio per fantasticare per il resto della giornata. Margherita, invece, riuscì ad andare ben oltre le sue aspettative. Con le labbra a un centimetro dal suo orecchio, gli sussurrò in tono soffiato:

– Il Ligabue esiste davvero.

Otto

Dopo che Margherita se ne era andata, facendogli cenno con gli occhi verso il tablet di tenere d'occhio la posta elettronica, Piergiorgio aveva ingollato un paio di compresse di paracetamolo e si era imbozzolato nel letto, aspettando la sudata liberatrice e pregustando il resto del pomeriggio, contento di quello che era successo e curioso di quello che stava per accadere.

Dopo una mezz'ora, circa, il medicamento aveva iniziato a fare effetto, e Piergiorgio aveva incominciato a sudare come un muflone rincorso da un branco di pellerossa con arco e frecce – Piergiorgio ignorava se i mufloni sudino, ma gli sembrava che l'immagine rendesse l'idea.

Passata un'altra mezz'oretta, grondante ma fiducioso, Piergiorgio prese il tablet.

Nessuna nuova.

Maledicendo le mura toscane, i carpentieri toscani, i mattoni toscani e tutta l'architettura domestica toscana (in modo coerentemente toscano, cioè ogni parola due moccoli) Piergiorgio mise il tablet fuori dalla finestra aperta, a braccio teso, sperando di beccare un refolo di rete senza prendere troppo freddo.

Dopo qualche secondo, il vassoietto elettronico incominciò ad emettere dei suoni soddisfatti, e sopra la piccola busta stilizzata apparve un tondo con in mezzo un numero discreto.

Con un movimento delicato, l'indice in levare verso destra per poi battere due colpetti delicati verso il basso, un po' tipo direttore di un'orchestra da camera formata da topolini addestrati, Piergiorgio aprì la posta elettronica e, ignorando le varie missive che lo rendevano edotto delle possibilità di vincere un viaggio con Ryanair o lo informavano di essenziali novità nel campo della nutrizione e del fitness, selezionò l'ultima mail appena arrivata.

Da: margherita.castelli@sns.it
A: pjfools@med.unipi.it
Oggetto: Agente 007 missione Bond-an-ox

Eccoci qua, caro il mio Pazzi-ente.

Come ti dicevo, sono convinta che Raimondo possedesse davvero un'opera autentica di Ligabue. Adesso, vorrei spiegarti perché ne sono convinta.

Come sai, come sanno tutti, o meglio come dovrebbero sapere tutti ma ormai in questo paese l'ignoranzità si sta diffondendo anche in strati insospettabili, Ligabue ha passato parecchi anni della sua vita in ospedali psichiatrici. In uno di questi, a San Lazzaro, vicino Reggio Emilia, ha avuto come compagno di camicia di forza proprio Raimondo Del Moretto.

Incuriosita dal racconto di Zeno sul suo lavorante che sosteneva di avere un Ligabue autografo, mi sono adoperata per ottenere informazioni dal manicomio. In pratica, essendo archivista, sono riuscita tramite l'archivio di Stato ad ottenere la cartella clinica e vari documenti del luogo.

Sul fatto che Antonio Ligabue sia stato in questo manicomio per cinque anni, dal 1941 al 1945, e poi in seguito dalla fine del '45 al '48, non ci sono dubbi, i documenti lo dimostrano.

Anche sul fatto che Raimondo ci sia stato, e che il suo soggiorno e quello del Ligabue si siano sovrapposti, non ho dubbi. Raimondo raccontava che l'ospedale dove stava venne semidistrutto da un incendio nel 1947, cosa rispondente al vero, così come corrispondenti o verosimili erano i suoi ricordi del comportamento e dei trattamenti del Ligabue. Per esempio, Zeno mi diceva che a sentire Raimondo il pittore a volte passava le giornate a fare versi, nel tentativo di parlare con le rane, e si portava appeso al collo uno specchio per verificare se per caso facendo il verso della rana non assomigliasse davvero all'animale. Dalla cartella clinica del Ligabue, sappiamo che effettivamente queste cose le faceva per davvero, ma non so a quanti sia noto. Quindi, ti domando: sei d'accordo con me che i due effettivamente sono stati fra i tuoi parenti, cioè fra i Pazzi, insieme, e che Raimondo conoscesse Ligabue?

A dopo,

Margherita Goldfinger

Piergiorgio rilesse da capo a coda il messaggio, non tanto perché non avesse capito, quanto perché era un piacere leggere la scrittura precisa e raffinata di Margherita.

Quel particolare di scriversi, invece di parlarne a voce, dava a tutta la faccenda un che di segreto e di riservato che gli piaceva.

Secondo Piergiorgio, tutta quella riservatezza non era strettamente necessaria. In fondo, non stavano facendo niente di sbagliato, e molto probabilmente niente di pericoloso. C'era un punto però che incuriosiva Piergiorgio, e lo scrisse subito.

Da: pjfools@med.unipi.it
A: margherita.castelli@sns.it
Oggetto: Agente 007 – solo per i tuoi begli occhi

Ricevuto. Sono d'accordo, molto più facile che Raimondo e Ligabue si conoscessero che non il contrario. Notevole che le cartelle cliniche vengano fatte consultare con tutta questa facilità. Va bene che in questo caso non si parla di dati segreti, lo sapevano tutti che Ligabue era matto come pochi, però mi stupisce che tu sia riuscita ad averla. Da dove ti viene tutta la sicurezza sul fatto che il dipinto esista? Conoscendoti, credo che questo sia solo l'inizio.

A dopo,

PJ

PS: cosa significa Bond-an-ox?

Passò circa un quarto d'ora – il tempo di fare la doccia, perché la sudata era stata catartica, e di ritrovare quella sensazione di stare a proprio agio con il corpo che di solito la febbre ti toglie – e Piergiorgio, tornando dal bagno, trovò bella e pronta la risposta di Margherita.

Facile un tubo. Sono dati sensibilissimi. Prima ho dovuto ottenere la segnatura archivistica, cioè sapere dove cavolo erano questi documenti, e quello mi è stato dato dalla sovrintendenza archivistica di Reggio Emilia. Poi ho dovuto fare domanda al ministero dell'Interno, tramite l'archivio di Stato, e passando per la Prefettura. Ci ho messo due mesi per mettere le zampe su questi documenti.

Insomma, nella cartella sono presenti le seguenti annotazioni (ti risparmio le varie prescrizioni mediche precolombiane, non me ne intendo ma credo siano roba da far arricciare i capelli a un cinese):

13 marzo 1947: il paz. molto tranquillizzato dopo che avuto nuovamente permesso di dipingere e disegnare. Lamenta mancanza suo materiale.

15 marzo 1947: paz. molto contento del ricevere colori, ma contrariato della scarsa quantità. Gli ho detto che voglio vedere l'opera finita prima di dargli altri colori, ben sapendo l'uso che potrebbe farne.

Ti preciso che «l'uso che potrebbe farne» è di mangiarseli, ci sono annotazioni precedenti dove si prescrivono lavande gastriche e clisteri d'olio a seguito del fatto che il buon Ligabue si era nutrito di tempera color vermiglio. Infine, troviamo:

3 aprile 1947: paz. molto inquieto per non aver ancora ricevuto nuovi colori. Non dormito da 2 gg. Sostiene aver completato un dipinto, ma per regalarlo ad altro paziente, R. D. M. Promesso di adoprarmi.

Per regalarlo ad altro paziente, R. D. M. Non ti sto a dire che ho fatto un salto di mezzo metro sulla sedia. Potrebbe mica, per caso, essere Raimondo Del Moretto? Non ho un elenco completo dei pazienti del periodo, ma mi sento di poter affermare che come coincidenza sarebbe molto curiosa.

Fammi sapere,

Margherita

PS: significa Lega-un-bue

Piergiorgio lasciò passare qualche minuto, prima di rispondere.

Non perché non fosse convinto, ma perché per abitudine prima di dare la propria opinione gli piaceva pensarci su.

In quel caso, però, c'era poco da pensare.

Da esperto di statistica, ti inviterei a stare attenta a non credere alle coincidenze, perché accadono più spesso di quanto uno non creda. Poi un giorno ti racconterò la storia di Anthony Hopkins e di via Petrovka. Da essere umano, be', ti direi che quello che hai trovato è ampiamente sufficiente per metterci a cercare questo quadro. Solo, non so se sarà così facile. Il primo posto dove ti direi che dovremmo cercare è casa di Raimondo, e credo che in questo momento sia scena del crimine. Il che significa nastri rossi e bianchi, sigilli e scarsa possibilità di accesso per una filologa e un ospite nemmeno troppo desiderato.

PJ

La risposta arrivò dopo cinque minuti scarsi, forse meno.

Per fortuna, perché mettersi a intervalli regolari con le braccia tese fuori dalla finestra non era né comodo né dignitoso.

Sono completamente d'accordo con te. Per questo ho chiesto di incontrare il colonnello della forestale che si occupa di raccogliere le sommarie informazioni. Credo che il responsabile in solido sia lui. Un omicidio è un omicidio, ma un Ligabue è un Ligabue. Adesso credo sia in missione in giro per il bosco con tanto di muta di cani, ma appena torno lo tampino. Sarebbe un colpo per la carriera di entrambi, credo. E poi, rispondimi sinceramente, da uomo: negheresti qualcosa a una ragazza con degli occhioni così sinceri?

Come se tu non lo sapessi, bella mia.

Con dita non prive di una puntina di gelosia, Piergiorgio toccò la freccetta che lo invitava a rispondere.

Guarda, io non potrei. Spero nemmeno lui. Fra l'altro, credo che tu non debba attendere molto. Sento un cane abbaiare e delle persone parlare qui sotto, e mi sa tanto che è lui.

Dalla finestra, Piergiorgio poté vedere Margherita avvicinarsi al colonnello Valente, che era fermo in mezzo al piazzale antistante la casa con le mani sui fianchi. Ma, da quella distanza, non poteva sentire quello che si dicevano. Il che, dobbiamo ammetterlo, non fece altro se non causare un piccolo ma percettibile morsetto di gelosia ingiustificata. Ingiustificata, sia chiaro, non perché il colonnello Valente non fosse un valido concorrente, ma perché ancora non poteva sapere quello che, forse, nemmeno Margherita stessa aveva ben chiaro.

Se avesse potuto sentire, comunque, il discorso fra i due, la gelosia non avrebbe trovato ulteriori appigli. Il dialogo fra Margherita e Valente fu, a tutti gli effetti, uno scambio puramente intellettuale.

– Buongiorno, colonnello. Senta, potrei parlarle un minuto in privato?

– Volentieri. Anzi, stavo per chiederle la stessa cosa.

– Bene. Io però, la devo avvisare, ho bisogno di parlarle per una questione artistica.

Il colonnello, voltandosi verso Margherita, la guardò con sorpresa non priva di una punta di sospetto.

– Curioso.

– Perché curioso? Non se lo aspettava?

– No, vede, è che anch'io le volevo parlare per una questione artistica.

Margherita ebbe un pensiero fugace, ma lo scacciò.
– Sì, questo è curioso davvero.
– Meno di quanto creda. In fondo, in un posto come questo, forse non era così inaspettato trovare...
Cazzo, pensò Margherita. L'ha trovato prima lui.
Dovrei essere contenta. Avevo ragione.
Sono contenta? No.
Manco per l'anima.
– Trovare?
– Dunque, come saprà, oggi siamo stati in ricognizione con il brigadiere e con una unità cinofila, per tracciare i movimenti del defunto Raimondo Del Moretto.
E falla meno lunga, santo Iddio. Unità cinofila per dire cane. Sei veramente un militare.
– Il cane ha seguito una traccia fin dall'inizio con molta decisione, fino a portarci a un piccolo terrapieno, in mezzo al bosco. Un posto decisamente poco frequentato, e non troppo gradevole. Pieno di insetti. Il terrapieno in realtà dentro era cavo.
– Capisco. Un nascondiglio.
– Sì, in un certo senso sì. Non ne siamo ancora sicuri, ma... crediamo di aver trovato qualcosa.
E come no. Avete trovato un quadro che vi sembra di valore, solo che non ne siete sicuri. Lo stile sembra quello dei bambini, ma c'è di più. Ricorda un po' quel pittore matto... come si chiamava? Come un cantante, mi sembra. Guccini? No, non quello. Ligabue, ecco, Ligabue. Colonnello Valente, non sai quanto ti odio.
– Ecco, io a questo punto avrei bisogno di lei. Lei è ferrata in storia dell'arte, giusto?

– Sì, colonnello. Particolarmente quella moderna e contemporanea – disse Margherita, con un sorriso falso come una scultura di Van Gogh. – Sul Novecento, anche se oggi è il momento meno adatto per dirlo, in Italia non mi batte nessuno.

– Novecento? – disse il colonnello, dopo un attimo di silenzio.

– Perché, quello che avete trovato non vi sembra del Novecento?

E cazzarola, sei veramente ignorante, pensò Margherita. Il colonnello, alzando le sopracciglia, sembrò quasi essere d'accordo.

– Mah, signorina, io non me ne intendo. L'esperta è lei. Però, a prima vista, a me sembrava di aver trovato una catacomba etrusca...

Nove

– Casomai una tomba, colonnello Valente – disse Zeno, mentre avanzava nel fitto di siepi. – Le catacombe le costruivano gli antichi cristiani, al tempo delle persecuzioni religiose. Gli etruschi erano un popolo libero. Le loro tombe erano vere e proprie case, un inno alla vita che continuava, non dei cunicoli scuri e sitibondi.

– Chiedo scusa. Comunque, adesso vedrete. Siamo praticamente arrivati.

– Meno male – disse il maestro Della Rosa. – Avevo l'impressione che stessimo girando in tondo.

Stavamo girando in tondo, caro signore, pensò il colonnello Valente senza voltarsi. Semplice precauzione da poliziotto. Il colonnello, infatti, aveva volutamente imboccato un paio di sentieri sbagliati, e un paio di volte, senza parere, aveva fatto procedere Zeno Cavalcanti in cima al gruppo. Ma Zeno aveva, entrambe le volte, preso la direzione sbagliata. O Zeno era astuto, oppure ignorava davvero dove fosse la catacomba – pardon, la tomba.

Nel frattempo, erano arrivati a un piccolo spiazzo tra le querce, dove cresceva una fitta siepe di mirto intorno a cui ronzavano una moltitudine di insetti di un color nero violaceo, che formavano quasi una seconda siepe sopra la prima.

– Eccoci.

I membri della compagnia si guardarono l'un l'altro. In effetti, come insieme, era abbastanza eterogeneo.

Zeno Calvalcanti, in quanto padrone di casa ed esperto d'arte; l'architetto Marco Giorgetti, in quanto architetto ed esperto di costruzioni; il maestro Della Rosa, in quanto non capita tutti i giorni di entrare in una tomba etrusca appena scoperta; Riccardo Maria Torregrossa con tanto di motosega, in quanto necessaria. La motosega. Mancava solo Margherita, la quale, avendo visitato il posto con il colonnello il pomeriggio precedente, aveva preferito non essere d'intralcio.

– Ma l'entrata? – chiese Riccardo Maria.

– È lì, dietro la siepe. O meglio, sotto la siepe. Bisognerà sfrascare un po'. Per entrarci la prima volta ci abbiamo lasciato mezza divisa.

– Allora andate avanti voi – disse Riccardo, posando la motosega. – Io a muovere le frasche in mezzo ai calabroni, scusate, col cavolo.

– Non sono calabroni – disse il colonnello, che era pur sempre un forestale. – Il nome tecnico è *xylocopa violacea*. Noi le chiamiamo api solitarie.

– Solitarie una sega – disse il maestro Della Rosa. – Ce n'è un condominio. Ma pungono?

– Quasi mai – disse il colonnello, inoltrandosi tra le fronde dopo aver preso la motosega che Riccardo Maria aveva mollato lì. – E la puntura non fa male, hanno un veleno molto debole. Più o meno come una zanzara. Ma comunque, vedrà che non appena sfrondato non ne rimangono punte. Allora, dottor Cavalcanti, ho il suo permesso?

– Vada, colonnello, vada.

Il colonnello andò.

Non tenteremo di descrivere i cinque rombanti&trepidanti minuti che seguirono; nemmeno Filippo Tommaso Marinetti sarebbe riuscito a darne una vaga idea. Sta di fatto che, alcune centinaia di secondi dopo, un colonnello Valente sudato ma soddisfatto spense la motosega e, scalciando via un paio di rami, mostrò a mano aperta un buco nel terreno.

– Eccoci. Dentro c'è spazio abbastanza per entrare tutti insieme, ma credo che sia il caso di andare due alla volta.

– Etrusca, allora?

– Etrusca. Assolutamente. È un thòlos.

– Un thòlos?

– È un termine mutuato dall'architettura micenea, colonnello. Significa «cupola», in greco. Indica la tomba di un re.

Intorno a Zeno e al colonnello Valente c'era solo buio e odore di muffa, esclusa una piccola porzione di spazio di fronte al collezionista, che con il suo cellulare in modalità torcia era riuscito a vincere l'oscurità, anche se non il puzzo.

Zeno Cavalcanti portò il fascio di luce al centro della stanza, dove troneggiava una colonna che sembrava sorreggere la maestosa cupola di mattoni irregolari. In realtà, Margherita aveva spiegato al colonnello che quella colonna era lì più o meno per bellezza, perché la volta si reggeva da sola.

– Siamo al centro di una cupola molto ampia, e questo significa che il personaggio era importante –. Zeno fece un cenno alle proprie spalle. – E siamo entrati da un corridoio lungo. Questa era una tomba regale, colonnello.

Il colonnello Valente annuì, guardando in alto, dove le pietre si ammassavano in volute concentriche. Anche Margherita aveva detto la stessa cosa.

Il colonnello aveva guardato Zeno con attenzione, mentre percorreva il lungo corridoio di cui sopra, che sfociava nell'antro buio e dall'odore denso dove ora si trovavano. Come avesse fatto il cane a seguire l'odore di Raimondo fino a quel punto, era un mistero: ma sta di fatto che Pitch non si era accontentato di fermarsi davanti ai cespugli. Il cane aveva insistito, scavando e puntando il buio oltre la siepe, segno che Raimondo lì dentro ci era entrato, e ci aveva passato del tempo, anche di recente. E su questo non c'era dubbio.

Pochi dubbi anche sul fatto che Zeno, invece, ignorasse completamente l'esistenza del sito. O era il più grande attore dell'universo, oppure il signore di Poggio alle Ghiande stava vedendo per la primissima volta la tomba di uno dei suoi più antichi predecessori.

– Bene, signor Cavalcanti. Possiamo uscire, per il momento.

– Una tomba etrusca perfettamente conservata –

disse Riccardo Maria Torregrossa. – A meno di due chilometri da dove abito. È meraviglioso.

La compagnia stava tornando verso casa, a passi più calmi di quelli con cui era partita, ma con la mente a mille, nessuno escluso. Tutti col pensiero dietro allo stesso oggetto, ma ognuno con motivazioni sue.

– Non sono d'accordo – disse Zeno, con tono piatto.

– Hai ragione, Zeno. Scusami. Non volevo essere indelicato. So che ci siamo arrivati seguendo le tracce di Raimondo, e che stiamo parlando di un omicidio, ma non me lo aspettavo.

– Non sto parlando di questo, Riccardo.

– Eh sì – disse l'architetto, meditabondo.

– Scusate, non capisco.

Zeno, senza rispondere, continuò a camminare. Dopo un paio di secondi di silenzio, fu l'architetto a proseguire.

– Se interpreto bene il pensiero del signor Cavalcanti, credo che si riferisse al concetto di perfettamente conservato –. L'architetto si schiarì la gola, tossì, si schiarì la gola di nuovo e fece scrocchiare le vertebre del collo. – Stiamo parlando di una tomba regale. Gli etruschi, vede, signor Torregrossa, consideravano le loro tombe delle vere e proprie case, come diceva poc'anzi il signor Zeno. Pareti affrescate, e oggetti che sarebbero serviti al morto nella sua seconda vita. Oggetti che nel caso di un nobile dovevano per forza essere preziosi, lei tenga conto che gli etruschi erano noti per essere ottimi gioiellieri. Ora, posso sbagliarmi, ma nella tomba non abbiamo visto traccia di tutto questo.

– Il che significa...

– Il che significa che Raimondo aveva scoperto quella tomba prima di tutti, è vero – completò il maestro Della Rosa – ma l'ha anche svuotata prima che la trovasse qualcun altro.

– Potrebbe anche averla trovata vuota – disse Riccardo Maria, dubbioso nella sua difesa d'ufficio. – Magari la usava per qualcosa, chi lo sa. Raimondo è sempre stato strano.

– Certo – disse il maestro Della Rosa. – Ci parcheggiava l'Apino. O magari la subaffittava a una famiglia di cinesi. Che poi sono usciti, hanno fatto i soldi e ora vogliono ricomprare tutta la proprietà. Non lo fanno per la tenuta vicino al mare, eh, ma per riassaporare l'aroma del posto che li ha riparati quando erano giovani.

– Io ho solo avanzato un dubbio.

– Sei troppo buono, temo, caro il mio Riccardo Maria. Tu cosa ne pensi, Zeno?

– Cosa ti devo dire, Enrico? – Continuando a camminare, Zeno teneva la testa china.

– Ma tu non ne sapevi proprio nulla?

– Enrico, secondo te, se io avessi saputo di avere in casa un thòlos etrusco lo lasciavo marcire in quel modo?

– Non ci credo.

– Credici, Piergiorgio. Completamente vuota.

Seduti a un tavolino di ferro battuto, Piergiorgio e Margherita erano l'unica coppia sotto il gazebo ad essere l'uno di fronte all'altra. Le altre paia di esseri umani – una di tedeschi e due dall'aria vagamente scandinava – erano sedute l'uno accanto all'altra, e invece di guardarsi negli occhi guardavano nella stessa direzione.

L'unica cosa che si frapponeva fra Piergiorgio e Margherita erano due ampi bicchieri pieni di ghiaccio e liquido arancione e un tagliere di formaggi selezionati dell'Alta Maremma – salumi niente? No grazie – insieme con un piccolo coppino pieno di noccioli che fino a qualche minuto prima erano vestiti di polpa di olive. Il resto degli stuzzichini – qualche crostino, una coppetta di noccioline e una di mais tostato – era stato fagocitato da Piergiorgio in circa tre minuti netti.

Del resto Piergiorgio era stato chiaro: io, quando mi sento bene, ho fame.

– Quindi Raimondo era un tombarolo.

– Esattamente. Il buon Raimondo deve aver depredato il posto sistematicamente.

Margherita, dopo aver dato un'occhiata al bicchiere, assaggiò il cocktail che Piergiorgio, dopo aver vuotato il proprio calice con un singolo sorso da orso, aveva definito buono, non eccezionale ma buono.

– Non mi sembra che la cosa ti sconvolga – disse Piergiorgio. – Voglio dire, credevo che da esperta d'arte e da persona onesta la cosa ti desse fastidio.

– È molto più comune di quanto si pensi. Di tombe etrusche se ne scoprono in continuazione, da queste parti. Solo che quasi sempre le scopri solo ufficialmente, perché qualcuno le ha trovate prima di te, e da tomba l'ha trasformata in miniera.

Margherita prese un triangolotto di pecorino dal tagliere e ci dette un morso soddisfatto, per poi veicolare il boccone lungo il tragitto con una bella sorsata di spritz.

– E poi tieni anche conto del sollievo – continuò la ragazza, ruminando. – Ero convinta che il colonnello...

– ... avesse trovato il Ligabue, sì, è vero – completò Piergiorgio, mentre prendeva l'ultimo pezzo di formaggio dal tagliere.

Un viziaccio dei maschi. Completare le frasi, intendo, non prendersi sempre l'ultimo boccone, che pure è un viziaccio dei maschi, ma non quello a cui ci si riferiva.

– Forse sarebbe il caso di parlare più piano.

– Sì, scusa.

Glom.

– Insomma, comunque questa storia della tomba etrusca potrebbe essere già un bel movente per un omicidio. Anzi, credo che ieri la parola omicidio sia stata pronunciata in modo ufficiale.

Piergiorgio fece girare lentamente il ghiaccio nel bicchiere, nella speranza di poter trovare ancora qualche residua molecola di alcol. Macché.

Piergiorgio alzò gli occhi, e incontrò quelli di Margherita.

Verdi, splendenti e belli come non mai.

– Certo che portiamo merda, io e te insieme, eh? – disse la ragazza, sorridendo.

– Punti di vista – ridacchiò Piergiorgio. – Mettiamola così, con me non ci si annoia mai.

– Comincio a pensarlo anch'io – disse la ragazza, abbassando il nasino nel bicchiere, ma tenendo lo sguardo malizioso su Piergiorgio. – Allora, dove mi porti a cena?

Piergiorgio dette un ultimo sorso, e quel pallido rimasuglio omeopatico di aperitivo gli sembrò molto meglio di prima.

Vero, il liquido nel bicchiere ormai non sapeva di nulla.

Ma il resto della serata, invece, sembrava promettere tutto il contrario.

Dalla posta dell'architetto

Da: marco.giorgetti@studiochiorboni&giorgetti.it
A: paolo.giorgetti@distoc.unipi.it

Carabinierissimo fratello mio,
mi sa che alla luce (si fa per dire) di quello che abbiamo scoperto oggi (e qui son letterale) sarà parecchio difficile che l'ecomostro cinese sorga dalle colline di Poggio alle Ghiande. E tutto, lasciamelo dire, per una questione di fiuto.

Il che mi porta, fratello mio, a narrarti della mirabolante anche se completamente apocrifa vita del primo uomo al mondo che fece del suo naso lo strumento della propria professione.

Jean-Francois Clavecin Sans-Cordes Saviozzi iniziò la sua opera al servizio del Re Sole ai primi del Seicento. Il sovrano, all'epoca, era particolarmente turbato dal fatto che le sue cene regali (86 portate che il sovrano era in grado di galumarsi da solo) venissero regolarmente rovinate da un cortigiano misterioso il quale, esattamente all'ingresso del consommé, rilasciava uno scurreggione terrificante in grado di guastare irrimediabilmente l'atmosfera della sala e far passare l'appetito al sovrano. Nonostante le inda-

gini interne il malfattore, a cui era stato affibbiato il nomignolo di «Puzzola Rossa», non venne mai scoperto fino a quando il Re, venendo a sapere dello straordinario olfatto di Saviozzì, lo assunse come Courtesan aux Froges Royaux dandogli l'incarico di smascherare il fetente. L'incarico non era facile: oltre alla difficoltà intrinseca nello sniffare il posteriore dei nobili di corte senza venir meno alla buona educazione, c'era il fatto che all'epoca fare il bagno era ritenuto pericoloso, e le persone «puzzavano come una Panda piena di cani bagnati» (P. Suskind, Il Puzzo, *orig.* Le tanpheau, *Ed. Christian Bourgeois mais très rique le mème).*

Bastarono pochi giorni a Saviozzì per individuare il traditore, il barone Edouard De Camembert aux Choucroutes; dopodiché, passato per le armi il ribaldo, il Re Sole si scervellò per una notte insieme ai suoi nobili per trovare un impiego adeguato al nuovo cortigiano dato che, come sottolineato da monsieur De La Palice, «non si può mica mandarlo in giro per il regno tutto il giorno ad annusare il didietro alla gente». Venne così creata, appositamente per Saviozzì, la posizione di sommelier.

Gente così non ne nasce più, cartonato fratello mio, per cui oggi come oggi per individuare le persone scomparse, o i tragitti che seguivano le persone scomparse, si usano i cani. E proprio ieri, infatti, gli inquirenti hanno portato qui un cane e si sono messi a seguire l'usta del fu Raimondo Del Moretto.

E sai cosa hanno scoperto? No che non lo sai, sennò non dovrei scrivertelo.

Te la faccio breve: una tomba etrusca. Un thòlos perfettamente conservato, nuovo come il cervello di un calciatore e vuoto come una cabina telefonica. Nel senso che la costruzione è perfetta, non solo leggibile ma proprio integra, peccato che tutta la roba che c'era dentro l'abbiano portata via. Presumibilmente Raimondo, anche se non mi è chiaro né come abbia fatto né a chi l'abbia venduta, e comunque al momento non è che me ne importi una cippa. Perché il fatto è, carillimo, che una scoperta del genere non può sfuggire alla locale soprintendenza dei beni artistici, architettonici, museali e muffiti. E ho come la sensazione che tale soprintendenza col cazzo che ci fa abbattere una tomba etrusca per costruirci sopra un villaggio vacanze. Ne consegue quindi che la trattativa, appena partita, temo sia destinata ad arenarsi. Ho già avvisato l'ingegner De Finetti, il quale parlerà con gli acquirenti, e domani dovremo confrontarci a ott'occhi con i gemelli Calvalcanti, Alfredo dietro e Zeno davanti. Ti saprò dire meglio domattina, ma vedrai che domani sera ci sarà da divertirsi.

Un abbraccio, sudato ma affettuoso, dal tuo fratello
Marco Indiana Jorgettòns

Dieci

Il colonnello Valente si sedette alla scrivania per, forse, la decima volta nel corso della mattinata.

Nel pomeriggio del giorno prima, si era reso conto che il caso stava diventando sempre più complicato, e sempre più grosso. Più che un caso, un casino.

Per cui, il colonnello aveva deciso che appena svegliatosi, la mattina dopo, si sarebbe messo a tavolino e avrebbe scritto un breve riepilogo del caso, per chiarirsi le idee.

Il primo tentativo era stato in stile deciso, definitivo, già quasi un verbale:

In data antecedente a quell'odierna a seguito di ispezione è stato rinvenuto, all'interno della tenuta Poggio alle Ghiande, un sito etrusco in perfetto stato di conservazione. Questo ritrovamento è da ricollegarsi al decesso di Raimondo Del Moretto, in quanto...

In quanto che? Ed è vero che è collegato?

... in quanto il suddetto Del Moretto era solito recarsi con frequenza nel suddetto sito allo scopo...

Allo scopo de che? E tu che ne sai? Stai indagando su questo.

Al colonnello venne in mente il suo professore di matematica, al liceo. *Guaglio', prima fai i calcoli, e poi tiri le conclusioni.*

Il colonnello aveva preso il foglio, lo aveva appallottolato e ne aveva preso uno nuovo.

Erano seguiti vari tentativi, prima che il colonnello decidesse di adottare, anche per iscritto, lo stile che gli era più congeniale.

Parlare a se stesso.

Allora, prima i fatti in ordine cronologico.

1. Raimondo Del Moretto viene trovato morto in seguito ad incendio. Autopsia conferma presenza di combustibile liquido sul corpo. È quindi un fatto che R. D. M. è stato ucciso. L'estensione dell'incendio ci aiuta a collocare l'ora della morte, data l'assenza di vento e l'avanzamento omogeneo e circolare del fronte delle fiamme, fra le due e le tre del mattino.

2. In seguito abbiamo trovato un sito etrusco ben conservato ma spoglio, di difficile accesso, in un punto poco frequentato della tenuta. Zeno Cavalcanti sostiene che non ne sapeva niente. Personalmente gli credo. Raimondo Del Moretto invece lo conosceva e ci andava evidentemente spesso. Ci sono due possibilità al riguardo. La prima è che Raimondo abbia scoperto il sito da solo, quando era ancora integro, e lo abbia sistematicamente svuotato. La seconda è che lo abbia trovato già vuoto e se ne sia servito per altri scopi, quali al momento si ignorano.

Possibili moventi per uccidere Raimondo:

A) Impedire che venisse rivelata la presenza del sito etrusco. Questo avrebbe inesorabilmente reso difficile la trattativa per la vendita della tenuta, per l'inevitabile intervento delle Belle Arti. A chi avrebbe dato fastidio questo blocco? All'ingegner De Finetti, sicuramente. All'architetto Giorgetti, altrettanto sicuramente. È sufficiente per uccidere qualcuno? Dipende dalla posta in gioco, direi. Di quanti soldi si parla? Informarsi.

B) Impadronirsi degli oggetti che Raimondo (supponiamo) ha portato via dalla tomba. Anche qui, di chi si parla? Di chiunque fosse a conoscenza del sito. Sicuramente però deve trattarsi di uno che conosce benissimo la tenuta. Torregrossa? Il polacco? No, in realtà non è necessario. Basterebbe che qualcuno sapesse degli oggetti depredati.

C) Motivazioni ancora sconosciute.

E, sulle motivazioni ancora sconosciute, il colonnello Valente si fermò un attimo a pensare alla richiesta che gli aveva fatto Margherita nel pomeriggio precedente.

– Quindi gli hai chiesto semplicemente di poter entrare in casa di Raimondo?

– Certo. Prima chiedere. Domandare è lecito, no?

– E rispondere è cortesia. Buon per noi che t'ha detto di sì. Certo, è stato molto cortese il colonnello Valente.

– Che fai, mi diventi geloso così in partenza?

– No. Presumibilmente lo diventerò negli anni. Sai, le donne come te non si trovano mica sotto gli alberi.

Anche a un osservatore disattento non sarebbe sfuggito che qualcosa, tra Piergiorgio e Margherita, era cambiato. Primo, stavano camminando abbracciati, ognuno una mano sul fianco dell'altro, con quella di Margherita che ogni tanto accarezzava il punto dove i maschi, di solito, hanno quel tenero accenno di lonza che, solo nella loro testa, piace alle donne. Secondo, Piergiorgio aveva in faccia quel sorriso ebete che hanno solo gli uomini convinti di aver trovato la donna della loro vita. Terzo, ogni tanto i due smettevano di camminare e si fermavano in mezzo al bosco per baciarsi in modo lungo e appassionato, tipo formichiere che sta cercando di finire la marmellata nel barattolo, e questo di solito tra amici non si fa.

– Sì, è stato gentile. Avrebbe potuto semplicemente dirmi che ora non era il caso, e via. Comunque sai, avendo lo chaperon lì, sarà difficile combinare dei disastri, spero.

– Ma dunque chi è che troviamo lì? Il forestale con il cane?

– Esattamente. Si chiama Daniele Bernazzani. È un tipo simpatico. Eccolo lì.

A un centinaio di metri di distanza, di fronte al casotto di Raimondo Del Moretto, il brigadiere Bernazzani alzò la mano in un cenno di saluto. Accanto a lui, fedele, il cane Pitch si alzò su quattro zampe, scodinzolando.

– Buongiorno Daniele – disse Margherita, appena arrivati a distanza di voce.

– 'orno – rispose il brigadiere.

– Tutto bene? – chiese Margherita.

– Sono un cadavere – disse il brigadiere. – Stanotte avrò dormito due ore.

Strano, pensò Piergiorgio maliziosamente. Io stamani, esattamente per lo stesso motivo, sono caricato a molla.

– Dentini? – chiese Margherita, empatica.

– Coliche. Mal di pancia. Tutta la notte avanti e indietro per il corridoio a sbatacchiare – disse il brigadiere, con la malcelata soddisfazione tipica del neopapà, per cui anche le flatulenze del proprio pargolo sono motivo di orgoglio. – Vabbè, poi crescerà e diventerà come quell'altro. Figli piccoli, problemi piccoli.

Estratta una chiave dal marsupio, il brigadiere aprì la porta e fece strada.

– Io ve lo dico, ogni tanto bisognerà fare una pausa perché qui dentro non ci si sta. Anzi, per prima cosa apro le finestre. Cos'è che cercate, di preciso?

– Un quadro – disse Piergiorgio.

– Grande quanto?

– Non lo sappiamo di preciso – disse Margherita. – Non sappiamo nemmeno se è una tela, se è un disegno, se è arrotolato o steso, niente. Ecco, mettiamola così, se lo dovessimo vedere lo riconosceremmo. Ma a dire la verità, non sappiamo nemmeno se è qui. Diciamo che ci speriamo.

– Be', la speranza è l'ultima a morire.

Piergiorgio, tirandosi su le maniche, sorrise.

A chi lo dici, fratello.

Fu dopo un'oretta, circa, che passeggiando in camera Piergiorgio si rese conto che alcune assi facevano un rumore diverso dalle altre.

– Qui sotto c'è vuoto.

– Dove?

– Qui, sotto i miei piedi. Dovremo togliere delle assi. Brigadiere?

– Ah, per me, se poi le rimettete a posto...

Nei film, per levare due o tre assi dal pavimento ci vuole un secondo. In casa di Raimondo, ci vollero una decina di minuti; ma, a un certo punto, il brigadiere individuò il punto giusto su cui fare leva e tre assi del pavimento, vennero via tutte insieme.

Le assi erano inchiodate insieme da sotto, con una listella di legno; nello spazio tra pavimento e suolo, il buio. Piergiorgio, trattenendo il respiro per cause non dettate dall'ambiente esterno, mise una mano dentro e tastò qualcosa di cartaceo.

Non un foglio singolo, però.

Sembrava più un quaderno. Dai, uno, due e...

La mano uscì dall'abitacolo, tenendo in mano l'oggetto.

Margherita e Piergiorgio si guardarono, mentre il brigadiere si sporgeva sulle loro teste:

– Cos'è?

Margherita, voltandosi con lentezza, disse:

– Secondo lei cos'è?

– Buffo –. Il brigadiere ridacchiò. – Sa, un giudice americano una volta disse proprio quello che ha detto lei prima. «Non saprei definire con precisione che cos'è, ma quando la vedo la riconosco». E parlava proprio di 'sta roba qui – terminò, indicando a mano aperta il reperto.

In mano, Piergiorgio aveva un giornalino porno.

– Ok, ok. Fine della ricreazione. Abbiamo trovato un nascondiglio. Magari non ci sono solo giornalini porno, lì dentro.

Margherita aveva ragione. In effetti c'erano anche videocassette porno, una dozzina. E, estratte tutte le videocassette, una busta.

– Posso?

– Visto che siamo qui...

– Scusi. Credevo volesse prendere le impronte digitali, o cose del genere.

– Io quell'affare non lo tocco nemmeno con le pinze. Prego, prego.

Margherita, con un po' di difficoltà per via della mano guantata, aprì la busta. Dentro c'erano un foglio e una foto. La ragazza, presolo con delicatezza, lo aprì.

Il foglio era scritto con una grafia grossa e incerta. Margherita si voltò verso Bernazzani.

– Posso leggerlo?

– Sì, ma fuori di qui, per favore. C'è anche più luce, fra l'altro.

Testamento di Raimondo Del Moretto, nato a Carpi il ventisette dicembre del millenovecentotrenta. Lascio a Zeno Cavalcanti che m'ha assunto e m'ha salvato la vita tutto quel-

lo che ciò e soprattutto incluso il Ligabue. Di cui Ligabue si allega foto tante volte venisse il dubbio e qualcuno venisse fori con le storie, la foto è quella nella busta. I giornalini e le cassette invece li lascio a Piotr che n'ha tanto bisogno. In fede, e sotto c'è la firma, Raimondo Del Moretto.

Letto il testamento, Margherita tirò su la foto, per guardarla un'altra volta, e farla vedere a tutti.

Non c'era stato bisogno della sapienza filologica di Margherita per leggere il testo. La grafia di Raimondo, grossa e malsicura, era perfettamente comprensibile. E non c'era bisogno nemmeno di un critico d'arte, probabilmente, per riconoscere l'autore dell'immagine che si vedeva in fotografia.

Una testa di tigre con le fauci aperte, deformate dallo sforzo, in un ruggito che quasi si sentiva, forte di rabbia e di frustrazione.

Frustrazione. Sì, adesso il colonnello provava frustrazione.

Da un punto di vista istituzionale, il suo compito era finito. Adesso doveva solo raccogliere le informazioni e passarle al magistrato inquirente.

Forse era questo.

O forse era il fatto che nessuna delle ipotesi che aveva elencato lo convinceva pienamente, a parte la numero tre. Cioè, movente sconosciuto.

Il colonnello si alzò. Senti, non è il tuo mestiere. Sei un forestale, ti sei trovato in mezzo a questo caso, e a questo casino. Buffo, no? Sembra un diminutivo, e invece è esattamente tutto il contrario. Capita, con le parole. Sembrano una cosa, e invece ne vogliono dire un'altra. Come coi modi di dire. Dipende da chi te lo dice. Dipende dai particolari. Un vicequestore romano che aveva conosciuto una volta, un tipo strano, gli aveva spiegato che in romanesco *fijo de mignotta* significa che sei furbo, scaltro, e non è un insulto, mentre invece è *fijo de 'na mignotta* che è un'offesa vera e propria. Che poi, quel vicequestore lì, con quel cognome. Uno così, uno che piuttosto che stare agli ordini si prendeva a martellate nei coglioni, che si chiamava...

Un attimo dopo, il colonnello Valente si ritrovò con il telefono in mano. Come spesso capita, le sensazioni vanno più veloci dei pensieri, e il colonnello riuscì a completare il suo mentre cercava il numero.

Nomen, omen.

Nel nome il destino.

Col cavolo. È un modo di dire.

È solo un modo di dire. Appunto. Ma potrebbe anche non esserlo.

– Pronto, Bertagnolli? Ciao, sono Valente. Sì, esatto. Sempre in Val di Cornia. E te, sempre a Viterbo? Sì, oddio, dai. Anche te, non è che tu vada in miniera. Senti, Bertagnolli, ti dovrei chiedere un favore. Tu ti occupi sempre di furti d'arte? Sì? Ecco, mi servirebbe una lista di possibili compratori di oggetti d'arte. Arte un po' particolare, ecco. Di preciso, arte funeraria etrusca. È una roba che ha mercato?

Undici

– Allora – disse l'ingegner De Finetti – quello che mi sta dicendo è che non avete intenzione di continuare la trattativa.

Seduti al tavolo, a destra, l'uno accanto all'altro, i fratelli Cavalcanti; Zeno, serafico come sempre, e Alfredo, visibilmente più nervoso. Seduto al tavolo dal lato sinistro, e parecchio più nervoso anche di Zeno, l'ingegner De Finetti si rotolava tra le dita una matita, con tutta l'aria di chi più di quello non può fare. In piedi, camminando avanti e indietro mentre si schiariva la gola, l'architetto Giorgetti sembrava assorto in un disperato tentativo di far andare a tempo tutti i suoi tic.

La stanza era lo studio di Zeno, con i quadri e il divano, ma stavolta il centro della scena era il grosso tavolo fratino: un piano di vetro di considerevole spessore, sorretto da una fascina di tronchi di legno che sembravano essere stati buttati dall'alto alla rinfusa, tipo Shangai, ma probabilmente lo sembravano e basta.

Sul tavolo, tra le due coppie, c'erano quattro bicchieri con un dito di cognac, e quello era palesemente l'unico segnale di cordialità in tutta la stanza.

– No, ingegnere – rispose Zeno, senza fare il minimo sforzo per aumentare il grado di calore umano dell'ambiente – quello che le sto dicendo, e che le ripeto, è che continuare la trattativa non ha senso per motivi indipendenti dalla nostra volontà. Abbiamo appena scoperto l'esistenza di un sito archeologico di importanza eccezionale sulla proprietà. Sarebbe veramente incredibile che la Soprintendenza non ponesse un vincolo.

L'ingegner De Finetti rimase un attimo in silenzio. Se non fosse stato un ingegnere, si sarebbe potuta avere l'impressione che stesse pensando.

– Non sto certo immaginando che la Soprintendenza possa ignorare la scoperta – disse l'ingegnere, dopo qualche secondo. – Piuttosto, mi chiedo se non sia possibile trovare una via d'uscita.

– Ma certo. Mi chiedo come abbiamo fatto a non pensarci prima – disse Alfredo con sconforto, scostando la sedia e alzandosi. – Basta ammettere che la costruzione in realtà è una rimessa per le biciclette costruita da Raimondo con mattoni comprati al mercatino dell'usato. Una bella sanatoria e via. O sennò si fa saltare in aria. Ingegnere, via...

– Non sto dicendo che possiamo distruggerla – disse l'ingegnere, con un cenno della mano. – Tutt'altro, è nostro dovere conservarla. Ma un conto è scoprirla sulla vostra proprietà, e un conto sarebbe scoprirla sulla nostra. Cioè sulla proprietà di SeaNese.

– Mi rincresce ricordarglielo, ingegnere, ma al momento corrente la proprietà è ancora nostra – disse Zeno, asciutto.

– Vero – concordò l'ingegnere. – Però questa cosa la sappiamo solo noi quattro.

Alfredo guardò l'ingegnere come si guarderebbe Scarlett Johansson, sempre lei, se ci suonasse al campanello e ci dicesse ciao, ti ho visto passare e mi piacerebbe sposarti. Sarebbe bello, ma è chiaro che non può funzionare.

– Lei sta proponendo di retrodatare il contratto di acquisto?

– Esattamente.

– E mi spiega come intenderebbe farlo?

– Basta cercare un notaio che capisca le nostre esigenze.

– Un notaio che falsificherebbe i documenti per una compravendita di un oggetto di questo tipo? Mi faccia sapere quando lo trova – flautò Zeno. – Lo metterò nella mia collezione, insieme al gentiluomo livornese e al pisano furbo. Ci deve essere un motivo per cui è ancora vuota, chissà.

L'ingegnere guardò Alfredo.

– Non è impossibile – disse Alfredo.

– No. Solo scorretto, illegale e incredibilmente stupido – tranciò Zeno.

Seguì qualche attimo di silenzio, che venne rotto da un raschìo di gola dell'architetto più marcato del solito.

– Sull'illegale, non posso che darvi ragione – disse l'architetto, ergendo la solita bifora con le sopracciglia. – Sullo stupido, dipende dai punti di vista. Sullo scorretto, ahimè, ahimè, mi dispiace davvero ma mi corre l'obbligo di far notare che non credo proprio che siamo stati i soli.

– Cosa intende insinuare?

– No, no. Che parole. Io non insinuo, io ipotizzo. Ipotizzo, nella fattispecie, che l'esistenza del thòlos fosse nota a più di una persona all'interno della tenuta, e che almeno una di loro fosse tenuta a dircelo in quanto proprietaria della stessa.

– Lei starebbe dicendo che uno di noi due sapeva dell'esistenza della tomba?

L'architetto continuò a camminare avanti e indietro, mentre parlava. Il che a Zeno e ad Alfredo dava fastidio quasi quanto quello che stava dicendo.

– Esatto. Esatto – confermò l'architetto.

– E a che pro, mi dica? – chiese Zeno con voce di miele, ma con un goccetto di aceto dentro. – Per far andare liscia la vendita?

– Oh, no, non per motivi economici. Anche se la cosa non era certo sconveniente. Direi più per motivi artistici, ecco.

– Vorrebbe essere più chiaro? – chiese Zeno, che adesso era visibilmente sul punto di perdere l'aplomb da colonia britannica.

– Mi perdoni, no –. L'architetto mise le mani avanti. – Non ho le prove per essere più chiaro, ma volevo solo rendervi edotti del fatto che non siamo scemi. Cioè, parlo per me. Per l'ingegnere parlano i fatti.

Col che non era affatto chiaro che grado di intelligenza l'architetto assegnasse all'ingegnere, ma solo che non c'erano dubbi al riguardo. La cosa, evidentemente, a Zeno non bastava.

– Architetto, sinceramente credo che lei abbia passato il segno. Lei mi sta attribuendo la precisa volontà di aver occultato un sito archeologico...

– Zeno, per favore... – disse Alfredo, evidentemente ora più preoccupato che nervoso.

– No, caro signor Cavalcanti – disse l'architetto, mettendosi finalmente a sedere di fronte al collezionista. – Io ho solo detto che qui qualcuno, e non dico il nome, eh, ha tenuto nascosta la cosa. Lo scopo a cui sottolineo questo, lo ripeto, è che non mi prendiate per fesso. Io so quando parlare chiaro e quando no.

– Menomale che abbiamo lei, allora, che è genio per tutti e quattro – disse Alfredo, dopo un'occhiata rapida al fratello, che stava cercando di tranquillizzarsi. – Allora, visto che è tanto furbo, mi dica dove Raimondo ha nascosto il Ligabue. Visto che adesso sappiamo che esiste...

– Ah, quello lo so benissimo. E credo lo sappia benissimo anche suo fratello. Credo che il suo grado di confidenza con Raimondo fosse parecchio più profondo di quanto ci voglia far credere.

– Architetto, io non le permetto... – rimò involontariamente Alfredo.

– Ma via, signor Zeno – disse l'architetto, con amabilità, rivolgendosi al collezionista – non mi dica che non ha mai avuto modo di vedere il bel Raimondo tutto nudo...

Dopodiché l'architetto, coprendosi le mani con gli occhi, si mise a urlare.

Succede, quando ti tirano un bicchiere di cognac negli occhi.

Il gesto di Zeno era stato talmente fulmineo da sorprendere non solo l'architetto, ma anche gli altri due presenti, per non parlare del lettore. Afferrato il bicchiere, il Cavalcanti cadetto ne aveva scagliato il contenuto sul muso dell'architetto. Lo so, solo gli animali hanno il muso, ma qui da queste parti il viso si usa solo per accarezzarlo.

Mentre l'architetto continuava a urlare, altre voci si unirono.

Urlava l'ingegner De Finetti che questo era un oltraggio e che avrebbe chiamato la polizia.

Urlava Zeno Cavalcanti qualcosa a proposito della madre e della sorella dell'architetto che, vista l'eleganza della stanza e del luogo, non ci sembra assolutamente opportuno riferire.

Urlava Alfredo Cavalcanti dalla finestra che qualcuno venisse in aiuto, che lì si stavano per scannare.

Infine, per completare il coro, e da dodecafonico renderlo pentatonico, arrivò Piotr, urlando anche lui.

E siccome urlava più forte di tutti, fu chiaro fin da subito che aveva visto il diavolo.

– Come, il demonio?

– Il demonio, signor Zeno, il demonio!

I quattro nella stanza avevano smesso di urlare. Un po' perché c'era uno che urlava più di loro, e un po' perché con tutto quel casino erano arrivate anche numerose altre persone e continuare a insultarsi sarebbe stato inopportuno.

L'ingegnere, premuroso, si avvicinò con un bicchiere con del cognac che offrì al polacco. L'inserviente lo allontanò con un gesto spasmodico della mano. L'ingegnere guardò Alfredo, perplesso.

– È astemio – spiegò Alfredo. – Piotr, adesso prendi un respiro profondo. Ci siamo qui noi. Che cosa è successo?

– Demonio, le dico! C'è il demonio in casa di maestro!

– Calmati, Piotr, per favore. Calmati e raccontaci cosa è successo.

Era successo che Piotr Kucharski si era recato nell'appartamento del maestro Della Rosa per dare una pulita, come al solito. Come al solito, aveva preparato il secchio con acqua e varichina e, come al solito, dopo avere zuppato bene il cencio aveva incominciato a passarlo sul pavimento. E lì era successo qualcosa di insolito.

A una prima passata, era sembrato a Piotr che il pavimento di pietra grigia avesse assunto un lieve colore rossastro. Scuotendo la testa, aveva preso il cencio e dato una seconda, robusta passata.

Subito dopo, era rimasto senza fiato.

Dietro al cencio, esattamente dove aveva passato l'attrezzo, si era formata una grossa striscia del colore del sangue.

Preso il cencio, e biascicando giaculatorie incomprensibili in cui si distingueva solo la parola «Czestochowa», Piotr lo aveva annegato nella varichina e strizzato fino a fargli perdere forma. Poi, andando nell'angolo opposto della stanza, e precisamente vicino alla porta, aveva dato una nuova, vigorosa passata.

Di nuovo, dietro al cencio si era formata una grossa striscia rosso sangue.

Lì Piotr aveva cacciato un urlo.

Sempre urlando, era uscito.

E, come già detto, quando era arrivato alla casa padronale stava ancora urlando.

– Meraviglioso. E Valente allora cosa ha fatto?

– Cosa poteva fare? È andato a vedere in casa del Della Rosa, giusto per dare soddisfazione al disgraziato. Chiaramente, non ha trovato nulla. Posso?

E Piergiorgio, galante, versò dell'altro vino nel calice di Margherita. Che era vegetariana, e infatti aveva appena finito di smantellare un piccolo tortino di melanzane alla parmigiana come antipasto, ma il vino sembrava apprezzarlo. Anche perché Piergiorgio, col tipico entusiasmo di colui che porta a cena fuori la conquista della vita, aveva ordinato un Franciacorta da sessanta euro, del quale fino a quel momento aveva bevuto appena un bicchiere. Del resto, per ubriacarsi gli occhi di Margherita erano più che sufficienti.

– Sì, questo me lo posso immaginare – ridacchiò Margherita. – Non mi ricordo chi diceva che avrebbe creduto ai miracoli quando avrebbe iniziato a vedere Madonne che ridono, invece di piangere sangue. Intendevo cosa ha fatto riguardo al litigio.

Piergiorgio, che stava prendendo un sorso di vino, non rispose subito. Né lo fece nessun altro, visto che erano soli. Non soli a tavola, proprio soli in tutto il locale, dato che i due erano le uniche persone sedute e gli altri esseri viventi all'interno della sala erano il proprietario/cameriere, che era in piedi dietro al piccolo bancone dei liquori, e un grosso gatto rosso che era, più che sdraiato, spalmato sul pavimento di cotto esattamente davanti alla cucina.

– Ma nulla. Quando siamo arrivati le cose si erano già un po' calmate. Oddio, più che calmate silenziate, c'era una tensione nella stanza che se tu avessi lasciato cadere un sasso sarebbe rimbalzato fuori dalla finestra prima ancora di toccare il pavimento. Pare che stessero litigando per la compravendita, che a un certo punto l'architetto abbia dato del finocchio a Zeno e che lui stavolta non l'abbia presa benissimo.

– Eh, oddio, lo capisco – rispose Margherita mentre il padrone dell'osteria, con un sorriso complice, si sporgeva davanti a lei per portarle via il piatto che aveva contenuto il tortino. – Veramente ottimo il tortino, aveva ragione.

– È un piacere – rispose il padrone, appoggiando il piatto sul braccio. – Zeno, intendete Zeno Calvalcanti, vero? Il signore di Poggio alle Ghiande?

– Proprio lui. Lo conosce?

– Eh, con Zeno ci si conosce da una vita. Vien qui a mangiare ogni tanto, quando c'è poca gente. Come stasera. Non gli piace la confusione, a Zeno. In compenso gli piaccion tante altre cose.

– In che senso? – chiese Margherita.

– Abbiate pazienza, ma m'è arrivato all'orecchio i vostri discorsi di poco prima – rispose l'oste, mentre prendeva il piatto di Piergiorgio. – Non so chi sia quel signore che gli ha dato del finocchio, ma ha sbagliato parecchio indirizzo. Ciavessi avuto io la metà delle donne che Zeno si portava qui, altro che zabaione. Con cosa proseguite?

– Io avrei deciso per il risotto – disse Margherita.

– Asparagi e brodo di pane? Fa dimolto bene, stasera è venuto poetico. Lei invece?

– Ah, io vado sul classico. Cinghiale con le prugne.

– Ho capito. A lei le garban le cose autentiche e bòne, via. Come a Zeno.

– Anche a lui piace il cinghiale con le prugne?

Il trattore, passando dietro a Margherita, la guardò prima di guardare Piergiorgio con cameratismo tutto maschile.

– Anche quello, sì. Anche quello gli garba parecchio.

– Personaggione, il trattore.

– L'ho visto. Ci ha anche offerto il dolce e il caffè. Ha detto che quando vede una coppia bella come noi due si commuove.

– Mi sa che si riferiva a te – disse Piergiorgio.

– Scemo – disse Margherita, tirandolo verso di lei. – Invece di Zeno, ci sei rimasto, eh?

– Un pochino. Ero convintissimo. Comunque, non

sono mai stato bravo a identificare i gusti particolari. Ultimamente poi, grazie a Dio, sbaglio spesso.

– Ultimamente? – Margherita si voltò a guardarlo. – Cioè, aspetta. Non ci credo. Stai parlando di me?

– Mah, sai... Un po' che le rare volte che ci siamo visti non ti ho mai incontrata con un ragazzo, un po' la moto da strada cilindrata seicento...

– ... e un po' il fatto che resistevo incredibilmente al tuo fascino?

– Sì, devo dire anche quello.

Margherita gli avvicinò la bocca all'orecchio, e mentre il cuore di Piergiorgio entrava in modalità «battere forte» un qualche vigile invisibile iniziò a dirigergli il traffico del flusso sanguigno, risolvendo l'ingorgo dalle parti dello stomaco grazie all'apertura del raccordo verso Roma sud.

– Sei convinto del tuo errore o hai ancora qualche dubbio?

– Mah, io qualche dubbietto ce lo avrei ancora...

– Certo che sei un porco.

– Sì, cara la mia ghiandona.

Dalla posta dell'architetto

Da: marco.giorgetti@studiochiorboni&giorgetti.it
A: paolo.giorgetti@distoc.unipi.it

Caro, caro, e ancora caro,
come ti scrissi, la trattativa coi signori Cavalcanti, Zeno è contento e Alfredo è tra gli affranti, è ormai naufragata. Ma i discorsi sulla stessa trattativa no, perché io e l'ingegnere siamo convinti che i due ci abbiano nascosto volutamente parecchie cose.

Del monolocale etrusco con uso di sepolcro ti ho già parlato, e sono ormai piuttosto certo che almeno uno dei fratelli sapesse parecchio bene della sua esistenza. C'è poi un altro aspetto curioso della casa, caro il mio, che ho avuto modo di notare: un aspetto geometrico, più che architettonico. Il che mi porta a raccontarti la storia, assolutamente falsa ma molto affascinante, dell'architetto al-Khermes.

Ibn Hassan Phandespagn ben Zhuppat al-Khermes, assessore all'Urbanistica Sacra e Meno Sacra ma Pur Sempre Istoriata di Istanbul ai tempi del sultano Maometto II, si trovò a fronteggiare problemi urbanistici di enorme por-

tata quando si rese conto che le moschee costruite nelle zone popolari della metropoli non puntavano verso la Mecca, e propose di ovviare al problema moltiplicando il valore delle ore di preghiera dei fedeli per il coseno dell'angolo che l'asse della moschea formava con la retta congiungente la città sacra. Come conseguenza i fedeli della moschea di Sghjimbesh, la quale era orientata in direzione di Stoccolma, si videro obbligati a pregare ventidue ore al giorno (che diventavano trentasei in occasione del Ramadan). Le giornate passate in un posto buio in compagnia di qualche centinaio di fedeli senza scarpe, senza contare il fatto che mentre i devoti del quartiere pregavano quelli della vicina moschea di Bentistah gli trombavano le mogli senza ritegno, portò presto il muezzin Tarik Qashqai a capeggiare una rivolta nei confronti dell'assessore al-Khermes (come narrato da un testimone d'eccezione, il matematico Rohan Poggianti, nel suo memoriale La mia vita di preghiera: cronache di un musulmano con la sciatica*).*

In pratica, carolingio mio, passeggiando per la casa mi son fatto convinto che ci sia una stanza cieca, nascosta, a cui non si accede se non per una porta segreta. Perché se uno paragona il piano di sotto della casa padronale col piano di sopra, dove c'è la collezione di Zeno, si vede subito che c'è un pezzetto che manca. Ho confermato questa mia impressione ripensando alla visita alla collezione, perché il piano è organizzato in modo labirintico, con pareti e open spaces che guidano l'ospite, trasformandolo in visitatore. So che la cosa fa molto Finis Africae e super thronos viginti quator, e sono ben consapevole che se uno vuole farsi una stanza segreta in casa, come diceva Cicerone nelle sue Orazioni, *sono cazzacci suoi («Cicero pro mentulas suas, ad pontefices», in* Orazioni sparse e anche con qualche macchia di ragù, *ed. Laquinta Eccedente), però la cosa mi incuriosisce. Cosa ci vuoi fare, son nato così. Comunque, per tornare alle cose importanti, sono convinto che uno dei due Cavalcanti ci abbia buggerato bene bene, nascondendoci l'esistenza della cappelletta di famiglia di quando qui era Etruria, e non so se questo può essere usato a fini legali per ottenere un qualche risarcimento. Io, per me, me ne freghicchio, mentre l'ingegner De Finetti mi sembra abbastanza battagliero al riguardo, e parla di cause e intralcio alle opere e altre cose che non capisco, e secondo me nemmeno lui. Insomma, avendo perso un branco di quattrini, cerca il modo di rivalersi, e se riuscisse a provare di essere stato coinvolto in una trattativa senza senso forse qualcosa potrebbe anche ottenere, poveraccio, dopo la riunione di stasera gli giravano i coglioni talmente forte che non riusciva a fermarsi, credo per via della conservazione del momento angolare.*

Fra l'altro, devo dirti che è la prima e l'ultima volta che lavoro con questo tizio. Tornando serî, durante la riunione ha detto una cosa che non m'è garbata né poco né punto, riguardo alla possibilità di retrodatare la vendita, e mi sa che non è la prima volta che fa dei giochini strani. Mi riprometto di parlargliene a quattr'occhi, perché a me queste cose non mi piacciono e non ho intenzione di proseguire il nostro rapporto oltre.

A proposito della riunione, e del buon Zeno, tu vedessi come s'è incazzato stasera. Manca poco si va alle mani. Dopo Alfredo è venuto da me, a scusarsi, e mi ha spiegato che suo fratello è di quelli talmente serafici e calmi che quando si arrabbia c'è da aver paura. Mi ha raccontato che una volta da ragazzi l'ha preso a biciclettate nella schiena. Poi magari verrà a scusarsi anche Zeno, e mi scuserò anch'io, che mi sa che ho un po' esagerato.

Che dirti, caro fratellastro mio? Qui s'è finito, domani si leva le tende e si torna a casa.

Ti abbraccio, sudato e anche un po' puzzolente di cognac, ma sempre sincero, il tuo caro fratello,

Marco Mune Mezzo Gaudio Giorgetti

Dodici

– Deve essere caduto da lassù – disse il maresciallo Carminati.

Il colonnello Valente annuì, guardando in alto, dove tra le tamerici si apriva una piccola breccia, qualche metro più su rispetto alla spiaggia.

L'architetto Giorgetti, invece, non disse nulla.

Non perché non sapesse cosa dire, né per timore delle autorità o semplice rispetto per due persone che stavano svolgendo il loro lavoro, ma semplicemente perché era morto.

Il corpo dell'architetto, infatti, giaceva immobile sulla sabbia, gli occhi e la bocca inutilmente aperti, e la gamba destra piegata in un angolo innaturale, oltre che architettonicamente di cattivo gusto. Accanto a lui, in piedi, il maresciallo Carminati della stazione dei carabinieri di Castagneto e il colonnello Valente, che era stato convocato dal Carminati subito dopo essere stato avvertito che qualcuno era stato trovato morto sulla spiaggia di fronte alla tenuta di Poggio alle Ghiande. Il binomio tenuta-morte, secondo entrambi, stava diventando pericolosamente frequente.

– Potrebbe essere caduto da solo? – chiese il maresciallo, guardando il forestale.

– Da lassù? Difficile –. Il colonnello Valente si guardava intorno. – Se non mi ricordo male, la siepe è fitta. Quasi non ci si rende conto che c'è uno strapiombo dietro. No, no, Carminati. Ho tanta paura...

Il maresciallo Carminati, dopo aver guardato su, sembrò seguire con lo sguardo la traiettoria che doveva aver fatto l'architetto, prima di diventare un corpo.

– Dai. Andiamo su a dare un'occhiata.

– Allora, Valente. Adesso sarà il caso di cercare di capire cosa sta succedendo qui.

Il colonnello Valente annuì, sollevato. Lui era un forestale. Incendi, bracconaggio, salvaguardia. Per gli omicidi, no, non era preparato. Non erano cosa sua. Si sentiva fuori posto, a disagio.

Il maresciallo Carminati, invece, sembrava decisamente a suo agio. Anzi, quasi contento. Serio, professionale e soprattutto impaziente di occuparsi di qualcosa che non fosse il solito litigio tra tedesco tirchio e ristoratore esoso.

Perché quello di Marco Giorgetti era nato fin da subito come un omicidio. Dalla cima del pianetto di fronte allo strapiombo la cosa era chiara, palese. Qualcuno, all'improvviso, aveva dato una gagliarda spinta all'architetto, facendogli sfondare la siepe. L'ipotesi alternativa – l'architetto che si fiondava stile Superman attraverso le fronde – non reggeva un gran che.

– Del primo morto lo sai – cominciò Valente. – Raimondo Del Moretto, custode, agricoltore, tuttofare. Trovato morto in mezzo a un incendio doloso qui vicino, nella pineta. Ho ricevuto due giorni fa la conferma ufficiosa che sul corpo ci sono tracce di combustione innescata, ma per l'autopsia completa ci vorrà del tempo. Detto in parole povere, l'hanno cosparso di benzina e gli hanno dato fuoco. Se da vivo o da morto non è chiaro. Purtroppo l'autopsia non ha potuto dire molto, il corpo era carbonizzato. Credo che tu possa chiedere i referti dal magistrato.

– Grazie. Tu che cosa mi sai dire, invece, di altro?

– Parecchie cose. Iniziamo dal principio.

E qui, Valente raccontò a Carminati di come, cercando di ricostruire i movimenti di Raimondo, il brigadiere Bernazzani e il cane Pitch fossero inciampati in una tomba etrusca (un thòlos, per la precisione) e di come questa tomba fosse completamente spoglia, priva di arredi che un tempo dovevano pur esserci stati. E che qualcuno, in un tempo imprecisato, doveva aver portato via. Chi fosse questo qualcuno non si sapeva, ma di sicuro Raimondo lì dentro ci passava parecchio tempo.

– E nessuno a parte Raimondo sapeva di questa tomba? – aveva chiesto Carminati.

– Pare di no – aveva risposto Valente. – Adesso mi chiederai: «E il colonnello Valente ci ha creduto?».

Il maresciallo sorrise.

– E mi rispondo da solo: pare di no.

Allora, Valente aveva continuato. Zeno Cavalcanti era un collezionista d'arte, sicuramente una persona che conosceva parecchi possibili acquirenti. Per cui, se Raimondo avesse trovato sul proprio terreno una tomba etrusca, attraverso Zeno non sarebbe stato difficile trovare dei compratori.

– Allora, ho fatto un tentativo – continuò Valente. – Mi sono fatto dare da un mio amico a Viterbo i nomi di parecchi collezionisti che si intendono di questa roba qui. Ho provato a incrociarli con i dati degli ospiti degli alberghi negli ultimi cinque anni.

Il colonnello Valente tirò fuori un tabulato del quale andava particolarmente orgoglioso, indicando due nomi che erano già segnati con l'evidenziatore giallo.

– Questo signore qui, Gallavotti, è venuto tre volte negli ultimi due anni. Quest'altro, De Dominiciis, due volte.

– Cavolo. Hai fatto un gran lavoro.

Vero. Anche perché tutti i bed & breakfast gli avevano simpaticamente dato i tabulati stampati, invece che in forma elettronica, e il colonnello ci si era dovuto spremere gli occhi. Fortuna aveva voluto che uno dei collezionisti, De Dominiciis, di nome di battesimo si chiamasse Pierlapo. Un nome che si nota facilmente, sia che tu lo senta sia che tu lo legga. Quando lo aveva letto la prima volta, sull'elenco dei collezionisti, si era messo a ridere. Quando se lo era visto scorrere davanti, sul tabulato dei clienti, aveva incominciato ad esultare.

– Entrambi hanno soggiornato una notte, a metà settimana – continuò il colonnello, con l'aria di chi dice che è in grado di fare questo e altro. – In due casi, sono tornati la settimana dopo. Sempre per una notte.

– Certo. Magari hanno visionato la merce e ci hanno pensato su.

Il colonnello guardò il maresciallo. Altro che magari. Quello era già tranquillo e sicuro. È la prima cosa che mi è venuta in mente, quindi deve essere giusta.

– Sì, forse è prematuro, ma è quello che ho pensato anche io.

– Andiamo avanti. Quindi?

– Quindi, niente. Vediamo se quello che ho pensato ti convince.

– Mi convince. Del Moretto, che è quello che conosce meglio la tenuta, trova la tomba, qualche tempo fa. La svuota e grazie alle conoscenze di Zeno Cavalcanti riesce a rivendere questa merce, immagino gioielli e vasellame prezioso, a degli appassionati non troppo schizzinosi riguardo alla presenza di un certificato di provenienza.

– Infatti. Tu conoscevi Raimondo Del Moretto?

– No. Che tipo era?

– Ignorante come una zappa. Un tipo grezzo, subdolo ma non completamente scemo.

– C'è qualche possibilità che abbia fatto tutto da solo?

– Chi, Raimondo? Mi immagino la scena. «Buongiorno sor Pierlapo, avrei dell'ori da vendere. Ne l'ho portati qui nella sacchetta di juta, non facci caso al lezzo e guardi pure». No, no, da escludersi. Qualcuno lo ha aiutato. Chi, è da stabilire, ma da solo... – Valente escluse l'idea scostandola da sé con la mano sinistra a palmo in basso.

– Immaginavo –. Il maresciallo Carminati alzò lo sguardo. – Senti, io però prima di continuare ho il dovere di dirti una cosa.

– Sentiamo.

– Allora, Valente, questa da oggi è ufficialmente una indagine per omicidio plurimo. E per il decesso di Giorgetti Marco sono stati convocati i carabinieri. Adesso, tutto quello che mi stai dicendo...

– Ascolta, Carminati, io ti lascio tutto quello che ho raccolto e da oggi te ne occupi te. Io sono un forestale, di morti ne ho visto anche abbastanza. Gloria e rogne, tutte tue. Adesso, ti devo dire solo un paio di cose e poi per quanto mi riguarda puoi procedere da solo.

Eh sì, adesso può procedere da solo. A me ormai non mi tange.

Eppure.

Eppure, adesso che l'ho lasciato in carica, com'è che sto continuando a ragionarci?

Quel punto a strapiombo sul mare non l'aveva mai visto. E al mare, lì, c'era stato tante volte. Ma non aveva idea di cosa ci fosse là sopra, né di come ci si arrivasse. Il che faceva propendere per l'ipotesi che chiunque avesse ucciso l'architetto conoscesse molto bene la tenuta, e sapesse che quel salto sarebbe stato fatale.

Dunque.

Uno che conosce la tenuta come le sue tasche, tanto da muoversi agevolmente anche al buio.

Uno che era stato in grado di attirare l'architetto fino a quel punto senza destare i suoi sospetti, di notte, dopo che qualcun altro era morto in circostanze poco chiare nella stessa tenuta.

Uno dotato di una forza fisica notevole, o di una notevole furbizia, perché l'architetto non era esattamente un fuscellino.

E chi poteva essere, costui?

– Il demonio!

Prego?

– Il demonio! Signore colonnello, c'è il demonio!

Il colonnello Valente si voltò, lentamente.

Di fronte a lui, a circa una ventina di metri ma in rapidissima diminuzione, stava arrivando Piotr Kucharski, in una nuvola di polvere e terrore.

– Si calmi, Piotr.

Il colonnello si avvicinò a Piotr e gli mise le mani sulle spalle – l'unico punto di un invasato su cui si possono appoggiare per cercare il contatto fisico senza rischiare di farsi male. L'uomo, dopo due o tre respiri affannosi, riprese urlando.

– Come calmo? Come stare calmo, signore colonnello? Casa mia c'è dentro il demonio, signore. Io entro, va bene, accendo luce. E si accende luce sbagliata!

– Come, la luce sbagliata?

L'inserviente guardò il colonnello con occhi sbarrati, che si muovevano rapidissimi, come se fosse sul treno e guardasse gli alberi che passavano accanto. Ma sul volto del polacco non c'era nessuna traccia di quella placida tranquillità tipica di chi guarda dal finestrino. Pallido come uno dei suoi cenci, con due chiazze rosse intorno agli angoli della bocca, sudato e senza fiato per la corsa, e per la paura.

– Interruttore accanto porta, e si accende luce in bagno! Spengo, premo di nuovo interruttore, e luce si accende in salotto! Spengo, premo, e si accende forno!

Mentre Valente lo guardava senza proferire sillaba, l'uomo prese un gran respiro.

– Io allora va a contatore, a centralina. Butto giù tutti i coltelli. E luce si accende in tutta casa. Con coltelli giù! Allora...

– Allora?

– Allora io scappato, cazzo!

Il colonnello Valente lo guardò, sorpreso.

Una parolaccia da Piotr proprio non se l'aspettava.

– No, non me l'aspettavo, capisci. Ci sono rimasta di sale.

Margherita, guardando verso la strada, prese un sorso di birra e poi rimase con il bicchiere a mezz'aria. Sul piatto davanti a lei giaceva più della metà di una pizza, margherita anch'ella, ma ormai fredda e senza nessuna voglia di essere toccata o presa a morsi, proprio come chi l'aveva ordinata.

– Ci credo. Sì, questa cosa dell'architetto mi ha un po' sconvolto anche a me.

Di fronte a Margherita, i gomiti appoggiati accanto a un piatto che di pizza non ne conteneva più da un pezzo, Piergiorgio fece una faccia amara. Intorno a loro, la pizzeria era piena di gente vociante, che mangiava, beveva, chiacchierava e si rilassava, turisti placidi e locali sbracati, complici nella frenetica pace del venerdì sera.

– Sì... e poi, guarda, magari mi giudichi una merda e un'insensibile, ma c'è anche la storia del quadro che mi ha dato il colpo di grazia. Soprattutto la storia del quadro.

– Sì, ti capisco. Oddio, però capisco anche lui –. Piergiorgio indicò il bicchiere vuoto. – Te ne va un'altra?

Margherita fece su e giù col mento. Incredibile come anche un gesto così semplice potesse essere bello, fatto da lei. Piergiorgio, alzando un dito, riuscì ad attirare l'attenzione di uno dei camerieri che si aggiravano fra i tavoli e a fare cenno che portassero altre due birre. Il cameriere, tre piatti in una mano e tre bicchieri nell'altra, in qualche modo fece segno che aveva capito.

– Ma sì, ma sì, certo. Però speravo in un po' più di interesse. Invece è stato, non scortese, ma quasi disinteressato. «Ci sono stati due morti, dottoressa Castelli. Non so se è il caso di pensare ai quadri, ora come ora». Già prima, quando gli avevo detto delle mie ipotesi, non mi era sembrato entusiasta, ma oggi...

Piergiorgio annuì, partecipe. Intanto, vicino alla porta il cameriere stava cercando di spiegare ad un paio di persone che il locale era pieno e che per il momento non c'era verso.

– To', non siamo soli. Hai visto?

Margherita si voltò. Di fronte al cameriere, il maestro Della Rosa indicava l'orologio, dicendo che erano lì da mezz'ora, che una mezz'oretta per mangiare una pizza era più che sufficiente e che se i clienti erano tutti tedeschi e per bersi le otto birre necessarie ad accompagnare la quattro stagioni ci mettevano una mezza stagione non era colpa sua. Margherita si voltò nuovamente verso Piergiorgio.

– Che dici, facciamo i signori?

– Ma sì, dai.

Piergiorgio alzò un braccio, richiamando l'attenzione del gruppetto sul suo tavolo, e facendo il gesto del «ci si stringe».

Il maestro Della Rosa ebbe un sorriso sincero.

– Anche voi qui?

Cristina, sedendosi, ringraziò Piergiorgio con un sorriso caloroso. Accanto a lei, il maestro era già seduto a menù spianato, gli occhiali sul naso adunco.

– Non ci faceva voglia di rimanere a cena al Poggio. Questa cosa ci ha veramente scombussolati. Meno male che i ragazzi sono partiti due giorni fa.

– Mh. E non torneranno per un bel pezzo – fece eco il maestro, chiudendo il menù. – Via, per me una bella bufalina. Allora, preannuncio subito che non ho nessuna voglia di parlare di morti, che fra l'altro l'architetto mi stava anche simpatico. Invece, mi hanno detto che avete ritrovato il Ligabue.

Cazzo, di nuovo il Ligabue. Me lo sono sorbito per un'ora, ora si riparte. Da Margherita va bene, la ascolto volentieri. Da te anche no.

– Eh, parlavamo proprio di questo. Non proprio ritrovato, sappiamo che esiste. Adesso ne abbiamo la certezza.

– Eh, insomma. Sono andata a parlarci proprio stamani, per chiedergli dove potevamo incominciare a cercare, ma Zeno in questo momento ha la testa altrove. Comprensibile.

– E non è il solo – disse il maestro. – Pare che Piotr abbia dato difuori definitivamente.

– Certo che sei veramente un insensibile.

– Dai, Cristina, su. Ieri si è messo in testa che il nostro pavimento piange sangue. Oggi pare che abbia scoperto Satana negli interruttori. Meno male che non abbiamo una piscina, sennò quello era capace di battezzarci tutti a forza.

– Comunque, ha detto che lui in casa finché non vanno via gli emissari del demonio non ci torna più. Il colonnello della forestale lo ha portato con sé in caserma a dormire.

– Meno male, vai. Così almeno qualcuno lo guarda a vista. Quello è pericoloso – terminò il Della Rosa, vedendo arrivare il cameriere. – Via, te che prendi?

Mezz'ora, aveva detto Enrico Della Rosa, per mangiare una pizza era più che sufficiente. In realtà, il maestro ci aveva messo circa sei minuti, piegandola in quattro a libretto e mangiando con le mani, d'altronde sennò si ghiaccia e non è più buona.

– Poi se ti senti male stanotte non venirmi a rompere a me – aveva detto Cristina. – Qui c'è il dottore, chiedi a lui.

– Io sono in vacanza – aveva risposto Piergiorgio, sorridendo.

– Al limite c'è la Bernardeschi, Giancarla. L'altro giorno ero nervosa, avevo paura di non dormire, e mi ha fatto un decotto di non so cosa. Dieci minuti ed ero a letto con la lingua penzoloni.

– La Giancarla è clamorosa. Te dalle qualcosa in mano e lei lo distilla, lo estrae, ci fa gli elisir. Son convinto che riuscirebbe a fare la grappa anche coi bulloni. L'altro giorno cosa stava bollendo, le ghiande?

– Sì, proprio. Gliele aveva date Zeno, n'aveva raccattate un sacchettone, voleva provare a farcisi il tè.

– Il tè con le ghiande?

– Pare faccia un gran bene alla circolazione.

– È vero – confermò Margherita. – Anch'io qualche volta l'ho fatto, ho una mia amica che è una mezza fattucchiera e ogni tanto mi regala 'sti sacchettini inquietanti. Mi diceva che non è facile, vanno sciacquate prima tantissimo, sennò sono amare.

– Sì, lo diceva anche la Giancarla – confermò il maestro, prima di attirare l'attenzione del cameriere con un dito che sembrava un uncino. – Scusi, me la porta un'altra birra?

– Enrico...

– Senti, mi sto rilassando un pochino. Son state giornate pesanti.

– A chi lo dici. Io ti sopporto da quarantasei anni. Per me sono state annate pesanti.

– Il divorzio c'è dal settanta, amore mio – ribatté il maestro, con un sorriso da bambino che sa che gli verrà perdonata qualsiasi cosa. – Si vede che tanto male non ti trovi. Che succede?

Domanda giustificata. Il cameriere, infatti, era rimasto impalato accanto al tavolo, apparentemente indeciso su cosa fare. Dopo un paio di secondi, si era chinato.

– Scusate, voi abitate al Poggio alle Ghiande?

– Sì. Perché? Vuole ammazzare qualcuno anche lei? – Il maestro fece un ampio cenno con la mano, come se dicesse al corno inglese che era il momento dell'entrata. – Passi pure, ormai siamo diventati una catena di montaggio. Può squartare, sbudellare o garrotare a suo piacimento. Però dopo deve pulire lei, la avverto. Quello che passava il cencio è stato assunto dalla forestale.

– Scusi?

– Lasci perdere, è brillo – disse Cristina. – Dica pure a noi.

– Sì, ecco, no. Ecco, credo che sia meglio che lo sappiate. Pare che abbiano appena arrestato Alfredo Cavalcanti.

– Madonna che casino.

– Davvero.

In piedi, in mezzo alla piccola piazzetta di fronte alla porta a sud di Campiglia Marittima, Piergiorgio e il maestro Della Rosa stavano l'uno accanto all'altro, indifferenti alla meravigliosa distesa di colline che si sviluppava ai loro occhi, a quell'alternarsi di verdi e marroni che si sfuocavano e si smussavano, lambendo il mare e immergendocisi, per poi rassicurare il turista sul fatto che non fossero annegati uscendo fuori dall'acqua come isole sempre più piccole alla vista. A guardarli da dietro, l'impressione era quasi che fosse il panorama a guardare loro.

Dopo la cena, usciti dalla pizzeria, erano stati qualche secondo nel tipico silenzio imbarazzato di chi aspetta che sia l'altro a salutare per primo. Poi, in modo spontaneo, Cristina aveva appoggiato la mano sull'avambraccio di Margherita.

– Senta, potrei chiederle una cortesia?

– Certo.

– Ecco, io non vorrei sembrare sfacciata, ma ormai alla mia età le cose o si chiedono o addio. Siete venuti in moto?

– Sì – avevano risposto Margherita e Piergiorgio, con orgoglio e fifa pregressa, rispettivamente.

– Ecco, io non sono mai stata su una moto in vita mia. Un giorno di questi, per caso, non è che le spiacerebbe...

– Ma con piacere! – aveva detto Margherita, con un gran sorriso aperto. – Anzi. Se vuole, anche adesso.

– Io non vorrei approfittare... – aveva detto Cristina, speranzosa, guardando Piergiorgio. Speranzoso anche lui.

– Ma si figuri – aveva risposto Piergiorgio, signorile come sanno essere i veri uomini quando una donna risolve loro un problema. – Assolutamente. Andate, andate.

– Be', allora...

– Ho la moto giù al parcheggio – aveva detto Margherita con un sorriso, prendendo Cristina sottobraccio. – Ci vediamo a Poggio alle Ghiande, allora.

– Lei se lo aspettava? – continuò Piergiorgio, rivolto al maestro.

– Io? Io ho smesso di aspettarmi qualsiasi cosa, caro mio – rispose il maestro, scuotendo i capelli brizzolati. – Ogni volta che credevo che sarebbe successo qualcosa, è puntualmente successo il contrario. Credevo che avrei passato la vita a Livorno, e ho preso più aerei io di un pilota dell'Alitalia. Credevo che Cristina non volesse dei figli, e li ha voluti talmente tanto che per averli siamo andati in Congo. Credevo che dei miei figli almeno uno sarebbe diventato un musicista, e invece mi son ritrovato in casa un chimico e una parrucchiera. Sarà per quello che mi piace la musica. Si sa sempre come va a finire. L'ultima nota di una composizione musicale è sempre quella che uno si aspetta. Non ti sorprende mai. La vita, invece...

E tacque, voltandosi per la prima volta verso il panorama.

– Non ci avevo mai fatto caso. A quello che lei diceva delle composizioni musicali, intendo... – disse Piergiorgio, chiedendosi se per caso non avesse fatto male a cedere a Cristina l'accenno di sellino posteriore della moto di Margherita. Il maestro non era mai molto taciturno, ma quella sera sembrava particolarmente in forma. Anche vero che, quando parlava di musica, era un piacere ascoltarlo. Per quello Piergiorgio aveva sottolineato l'aspetto musicale, sperando che il maestro, dal catartico, virasse sul didattico.

– La vita, invece, non lo sai mai. Mi aspettavo di passare una serena vecchiaia nella mia casetta a Poggio alle Ghiande, e invece va a succedere tutto 'sto casino –. Il maestro continuava a guardare il panorama, ma a Piergiorgio sembrò che avesse assunto un'aria imbarazzata. – A proposito di casini, io le devo le mie scuse. Sono stato veramente un villano quadro.

– Scuse accettate – disse Piergiorgio, sperando che il discorso finisse lì.

– Il fatto è che, vede, ci sono rimasto molto male. Quel posto, per me, per noi, è fondamentale.

Piergiorgio, sempre guardando davanti a sé, assentì.

– Sì, credo di capire. Non si rinuncia volentieri a un posto così bello.

– Non c'entra tanto la bellezza, caro mio. Lei lo sa come si dirige un'orchestra?

La domanda era talmente retorica che Piergiorgio non disse nulla, ma si limitò a voltarsi verso il Della Rosa.

– Ci sono due modi di dirigere un'orchestra – continuò Enrico Della Rosa, alzando entrambi gli indici. – Il numero uno, costringi tutti gli strumentisti a guardarti e a fare esattamente quello che vuoi tu. Li devi comandare a bacchetta, essere il loro dittatore. Ci sono orchestre che non vogliono il direttore, vogliono il führer. Era il modo tipico dei Toscanini, dei Von Karajan.

– Credevo fossero tutti così.

– Che Dio ce ne scampi e gamberi –. Il maestro Della Rosa abbassò l'indice sinistro, alzando il destro. –

C'è il secondo modo, quello per esempio di Claudio Abbado. Ascolta il primo violino, diceva alle viole. Segui il contrabbasso, diceva al clarinetto. Fai bene attenzione ai timpani, diceva al corno. Creava delle relazioni. Relazioni che cambiavano a seconda del pezzo. Era questo il genio di Abbado. Non dirigeva, coordinava. E questa coordinazione nasceva proprio dalle relazioni che sapeva trovare e consolidare. Relazioni sempre diverse, perché ci sono pezzi e momenti in cui è il corno che deve ascoltare il violino, ma anche momenti in cui è il violino che deve ascoltare il corno. E momenti in cui anche il più umile e prevedibile degli strumenti, anche il triangolo, è indispensabile in una sinfonia.

Piergiorgio rimase zitto, continuando a guardare il panorama.

– Ecco, Poggio alle Ghiande è, era, il nostro direttore d'orchestra – continuò il maestro. – Creava delle relazioni. Sapeva quando era il momento giusto per ascoltare Zeno che parlava di arte, quando ci voleva Giancarla e una bella braciata tutti insieme, quando sedersi al tavolino con la Marangoni per una bella canasta, e quando era il caso di dare retta a Riccardo e stare tutti un po' zitti e lavorare –. Il maestro scosse la testa. – Eravamo una sinfonia, adesso se va bene diventeremo musica da camera. Corretta e gradevole, sì, ma ti rompi le palle in un amen.

– Poggio alle Ghiande però non verrà più venduto, ormai – disse Piergiorgio, rendendosi conto di dire una banalità nell'attimo esatto in cui apriva bocca.

– No, è vero – rispose il maestro. – Ma non sarà più

la stessa cosa. Non ci saranno più le stesse relazioni. Se uno sospetta che un suo condomino abbia ucciso due persone, anche passargli il sale a tavola diventa difficile. Quella saliera rischia di pesare una tonnellata, mi sa. Manca la fiducia, e quando manca la fiducia manca tutto.

Piergiorgio tacque, soppesando le parole del maestro Della Rosa. Il panorama, che continuava a guardarli entrambi da lontano, ma senza distacco, sembrava essere d'accordo.

Un panorama che non era perfetto, ma era armonioso. Le costruzioni antiche e quelle moderne, e le ciminiere che si ergevano tranquille, consapevoli di avere tutto il diritto di stare lì, perché in fondo dai loro fumi era sgorgato un po' del benessere delle persone che abitavano su quelle colline. Piergiorgio si ricordava quando, bambino, restava lì fermo a mezz'ore a guardare i vapori bianchi del raffreddamento dell'acciaio che si inseguivano, dal fumaiolo al cielo. Un fumo buono, una nuvola frutto del lavoro umano; acqua del golfo che da liquida diventava vapore, e rendeva l'acciaio più elastico, trasformandosi in modo irreversibile.

Anche il panorama si era trasformato, da quando Piergiorgio era bambino. Ma era bello lo stesso. Un panorama rassicurante, che non faceva battere più forte il cuore, ma metteva serenità. Cambierò, sembravano dire le colline, ma non per questo ti piacerò di meno.

Fidati.

Continuando a guardare il panorama, Piergiorgio prese il cellulare e con il pollice toccò l'icona dei messaggi, Margherita Castelli, e digitò un breve messaggio.

Cinque lettere soltanto. Due lettere, uno spazio, altre tre lettere.

Poi, mettendo in tasca il telefono con la mano che tremava, chiese distrattamente al maestro:

– Lei quindi non crede che sia stato Alfredo?

– Io credo solo che sia il momento di andare a dormire –. Il maestro, con un sorriso, prese a braccetto Piergiorgio. – Via, professore, montiamo in macchina. Tanto la strada è tutta curve. Mezzi brilli si segue meglio, sa?

Tredici

– Allora, signor Cavalcanti. Lei lo sa perché è qui?

– Perché mi avete arrestato. Sennò sarei a casa mia –. Alfredo Cavalcanti si sporse verso il maresciallo Carminati. – E per casa mia, sia chiaro, intendo via Moscova settanta, venti-centoventuno Milano. Non Poggio alle Ghiande, dove comunque vada a finire questa storia non metterò mai più piede in vita mia.

Il maresciallo Carminati tenne lo sguardo fisso su Alfredo. Bene, bene. Quelli che fanno gli spavaldi all'inizio di solito sono quelli che crollano prima. Iniziano gonfiando il petto, come i tacchini, e tengono le spalle diritte e la testa alta.

E così facendo perdono l'equilibrio.

Tesi come sono, per mantenere l'apparenza sicura e minacciosa, basta una spinta per buttarli giù.

– Lei è attualmente in stato di fermo – disse il maresciallo, tranquillo. – Se nel corso delle prossime quarantotto ore non verrà stabilito diversamente, sarà libero al massimo fra poco meno di due giorni. Quando sarà fuori di qui potrà tornare in via Moscova, se ci tiene tanto. Allora, tanto per accelerare le cose, mi saprebbe dire se lei era a conoscenza della ubicazione del thòlos etrusco rinvenuto nella sua proprietà?

Alfredo Cavalcanti si voltò verso la terza persona presente nella stanza, che si chiamava Giacomo Zazzeri ed era un avvocato. Avvocato d'ufficio, in quanto l'avvocato di Alfredo Cavalcanti, raggiunto al telefono, aveva fatto notare con cortese fermezza che non si era visto pagare una parcella dal 2012, e quindi riteneva che questo costituisse un impedimento professionale validissimo per rifiutare il patrocinio. Sicché, di fronte all'elenco in ordine alfabetico di avvocati d'ufficio, Alfredo aveva indicato l'ultimo della lista. L'avvocato era arrivato, si era messo seduto in un angolo ed aveva posato sul tavolo la borsa, unico indizio fino a quel momento che il tizio fosse davvero un avvocato, dato che non aveva ancora spiccicato parola. Cosa che non fece nemmeno in quel momento, limitandosi a fare un cenno con il mento che probabilmente significava «io risponderei».

– Assolutamente no.

– Bene. Quindi lei non ha mai asportato da detto thòlos del vasellame o degli arredi funerari, ivi inclusi dei manufatti artistici in oro risalenti a circa il sesto secolo avanti Cristo.

– Se non sapevo dove fosse la tomba, sarebbe stato...

– Mi risponda di sì o di no, non facendo del sarcasmo.

– No. No, non ho mai asportato da detto thòlos nessuno di questi oggetti.

– Bene. Io le credo.

Il maresciallo disse questa frase convinto, e sereno. Forse un po' troppo sereno.

– Ne sono felice – disse Alfredo. Ma non lo sembrava davvero.

– Sa perché le credo? – continuò il maresciallo. – Perché se lei avesse saputo dov'era la tomba sarebbe andato a scavare da solo, e non avrebbe dovuto aspettare ogni volta che Raimondo le dicesse che aveva oggetti da vendere.

Dopo aver assestato la mazzata, il maresciallo aspettò che la polvere si posasse. Anche perché Alfredo rispose con un silenzio che, secondo il maresciallo, valeva più di tante negazioni. Fu solo allora che all'avvocato Zazzeri venne voglia di provare il funzionamento del proprio apparato fonatorio.

– Maresciallo, spero che lei abbia le prove di quello che sta dicendo – disse, con una voce più adatta a Paperino che a Perry Mason.

– Le prove? Ora ci arriviamo subito. Il nome di Pierlapo De Dominiciis le dice qualcosa, signor Cavalcanti?

– Sì. È un amico di mio fratello.

– Bene. Lei lo conosce?

– So chi è.

– È già qualcosa. Avete mai avuto rapporti di qualche tipo? Di affari, per esempio?

– No. Non gli ho mai venduto niente, né ho comprato niente da lui.

– E anche qui le credo. De Dominiciis conferma.

Il maresciallo aprì una cartelletta di cartone verde che era posata sul tavolo, e cominciò a scorrerne il contenuto. Solo fotografie, apparentemente. Foto di oggetti di metallo giallo messi accanto a un piccolo righello: uno di quei particolari che, da soli, dicono che intorno a quegli oggetti è stato commesso un reato, in tempi più o meno recenti.

– Vede, il De Dominiciis è stato trovato in possesso di alcuni manufatti etruschi, tra cui degli articoli di gioielleria in oro risalenti al sesto secolo avanti Cristo, di cui non ha saputo giustificare la provenienza. Tutto quello che ci ha detto è stato che il fratello di Zeno Cavalcanti, un suo buon amico, gli ha telefonato per dirgli che una persona che conosceva aveva dei reperti etruschi rinvenuti in uno scavo abusivo che intendeva vendere. Adesso, signor Alfredo, suo fratello ha degli altri fratelli?

Alfredo, che al nome di Pierlapo De Dominiciis aveva incrociato braccia e gambe, guardò il maresciallo con aria torva.

– Mi ha chiesto prima di non usare il sarcasmo – disse, con voce tranquilla. – Le chiederei di risparmiarmelo.

– Ha ragione. Andiamo con ordine, allora. Ha presentato lei Raimondo Del Moretto a Pierlapo De Dominiciis?

– Sì.

– E anche a Renato Gallavotti?

– Sì.

– Lei sapeva che Del Moretto aveva in suo possesso dei manufatti etruschi rinvenuti nella sua tenuta?

– No.

– Andiamo, signor Cavalcanti.

– Ho risposto alla sua domanda, maresciallo. Così come è posta, la risposta è no.

Il maresciallo tentò di non dare a vedere che stava esultando. Quelli erano gli ultimi spasmi di resistenza. E con quegli spasmi Cavalcanti si stava mettendo all'angolo da solo.

– Va bene, allora. Lei sapeva che Del Moretto aveva in suo possesso dei manufatti etruschi rinvenuti illegalmente?

– Sì.

– Ed è stato disposto a fare da tramite per trovare dei compratori?

– Sì.

– Quindi lei aveva un buon rapporto di amicizia con Raimondo Del Moretto.

– Questa non è una domanda – osservò Alfredo.

– No, è una ipotesi. Può dirmi di no, e allora io le chiederei perché lei sarebbe stato così generoso da infrangere la legge per una persona che non le era amica.

– Per quieto vivere.

– Per quieto vivere. E Raimondo, perché si sarebbe rivolto a lei per trovare un compratore, e non a suo fratello? Perché si sarebbe rivolto a una persona con cui aveva pessimi rapporti? Una persona a cui, testuali parole confermate da parecchi testimoni, aveva detto «io sono quello che ti scava la tomba»?

– Perché Raimondo non era normale – disse Alfredo, dopo un respiro profondo, col tono di chi spiega le cose a un bambino. – Ha passato l'adolescenza in manicomio, e se si informa un minimo non le sarà difficile scoprire che ne è uscito per legge, non certo perché era guarito. Matto era, e matto è rimasto. Va bene che da queste parti c'è l'aria buona e fa tanto bene alla salute, e che la vita all'aria aperta è fondamentale per l'equilibrio mentale, ma non esageriamo.

– Capisco. Sì, in effetti è plausibile. Senta, signor Cavalcanti, voi avete firmato un preliminare di vendita per la tenuta?

Alfredo, invece di rilassarsi, si irrigidì vistosamente.

Quando qualcuno che ti interroga cambia improvvisamente strada, le cose sono due: o sta andando a caso, o sta tentando di fotterti.

E Alfredo sapeva che il maresciallo non stava andando a caso.

– In teoria sì – disse Alfredo. – Ma ormai con questa storia della tomba etrusca è andato tutto a carte quarantotto.

– Capisco. Ho sentito dire anche che l'ingegner De Finetti intende chiedere un grosso risarcimento per questo. Ha invocato il vizio occulto da parte venditrice. Mi può spiegare cosa significa?

Alfredo Cavalcanti si guardò intorno, prima di rispondere. Anche perché era meglio chiedere aiuto ai muri che al proprio difensore d'ufficio. Disgraziatamente, le pareti non sembravano intenzionate a venirgli in soccorso. Probabilmente perché erano di proprietà dell'Esercito, e aiutarlo in qualche modo sarebbe stato considerato alto tradimento, il che, viste le norme vigenti all'epoca in cui erano state costruite e commissionate, significava rischiare la fucilazione. Essere messi al muro, anche per un muro, non è piacevole.

Alfredo prese un respiro profondo.

– Significa che se, e sottolineo se, il proprietario di un immobile è a conoscenza di un vizio, di un dolo che impedisce alla parte acquirente di realizzare il progetto a cui l'acquisto è finalizzato, il proprietario commette un illecito.

– Molto chiaro. Quindi, se lei o suo fratello aveste saputo che c'era una tomba etrusca sul vostro terreno, cosa che chiaramente impedisce la costruzione di una piscina olimpionica con scivoli e trampolini...

– ... questo lo sta ipotizzando lei...

– ... avreste commesso un illecito, e la parte acquirente avrebbe potuto rivalersi chiedendo un risarcimento. Il che non sarebbe stato piacevole, specialmente se una persona versa in cattive acque da un punto di vista finanziario.

– Anche questa è una sua ipotesi.

– Ha ragione. Meglio continuare con le domande. Ne ho ancora due. Posso?

– Prego.

– La prima: non potrebbe essere che Raimondo Del Moretto, quando le disse «ti scavo la tomba» al momento in cui decideste di comunicare la vendita, intendesse ricordarle che lui era solito depredare il thòlos etrusco dopo aver portato alla luce i reperti ivi contenuti, e che lei era a conoscenza del fatto anche se non dell'ubicazione della tomba, e che quindi a vendere questa tenuta senza specificare la presenza della tomba lei commetteva un reato?

– Non saprei. Non era facile capire i pensieri di Raimondo.

– Va bene. Allora una domanda che riguarda lei. Mi potrebbe dire dove si trovava la notte in cui è stato ucciso Raimondo Del Moretto?

Alfredo annuì, lentamente, prima di rispondere.

– Certo. Ero a casa mia, nel mio letto.

– A Milano? Via Moscova?

– No, certo che no. Ero qui.

– E per caso mi potrebbe anche dire dove si trovava tra le tre e le sei di ieri mattina, quando è stato ucciso l'architetto Giorgetti?

– Ero sempre a casa mia, nel mio letto.

– C'è qualcuno che possa confermarlo?

Alfredo guardò il maresciallo. Stavolta, non c'erano dubbi. Quello era odio.

– A questa domanda mi riservo il diritto di non rispondere.

– Capisco. Dunque non c'è nessuno che possa...

– Maresciallo, all'inizio di questo colloquio lei mi ha ricordato che ho il diritto sancito per legge di mentire, di non rispondere alle domande o di rispondere solo a parte di esse. E quindi si figuri se mi perito di non rispondere. Per il momento. Le faccio notare che è la seconda volta che non capisce una mia risposta. Va bene che è un carabiniere, ma non se ne approfitti.

– Va bene, signor Cavalcanti, va bene –. Il maresciallo Carminati si alzò. – Allora, visto quanto mi ha appena detto, non ho altra scelta se non di confermare lo stato di fermo.

– Capisco –. Alfredo rimase seduto, mentre l'avvocato si guardava intorno. – Le chiedo di poter parlare con il mio avvocato.

– Certo. Con permesso.

Se credi che ti serva a qualcosa...

– Maresciallo?

– Sì?

Il maresciallo Carminati, poggiato il telefono sulla scrivania, si voltò. Sulla porta, e sull'attenti, stava il carabiniere semplice Melighetti, rigido come un mormone in un'enoteca. Se il maresciallo avesse dovuto scegliere quale dei due oggetti fosse più flessibile, avrebbe senza dubbio indicato la porta.

– Ci sono tre persone che vorrebbero rendere dichiarazione spontanea, maresciallo. In merito ai fatti di Poggio alle Ghiande.

– Va bene, Melighetti. Falli entrare. Uno alla volta.

– Ai comandi.

Tre persone. E chi potevano essere?

Il maresciallo aveva appena finito di parlare con il magistrato, il quale era stato d'accordo sull'opportunità di trasformare il fermo in arresto.

La ricostruzione dei fatti, secondo le ipotesi del maresciallo, era semplice: Alfredo, dopo la decisione di vendere la villa, e spaventato dal fatto che Raimondo potesse rivelare l'esistenza della tomba, decide di ucciderlo. Dopo, consapevole del fatto che l'architetto aveva capito qualcosa di fondamentale al riguardo, decide di fare fuori anche l'architetto. Su questo secondo punto il magistrato si era rivelato un po' dubbioso, e il maresciallo ne aveva approfittato per suggerire che si poteva sequestrare il PC dell'architetto, per cercare eventuali spunti di indagine.

Comunque, entrambi erano d'accordo sul fatto che Alfredo Cavalcanti era coinvolto in almeno uno dei due delitti. Forse, in entrambi. Adesso, magari, sarebbe venuto fuori qualcosa di nuovo, no?

– Avanti.

– Buongiorno. Permesso?

Una donna alta, elegante, forse un po' troppo truccata. Quella che sua madre avrebbe definito sarcasticamente una vera signora dalla nascita, «anche perché una così figurati se è mai stata signorina».

– Prego, prego. Si sieda. Lei è?

– Anna Maria Marangoni. Abito a Poggio alle Ghiande da quasi trent'anni. Cioè, ci passo l'estate. A parte l'anno scorso, ma questo non credo le interessi. Dovrei fare una dichiarazione.

Troppo truccata, è vero. Ma non per essere attraente. Piuttosto, per nascondere una nottata di pianto. Occhi rossi, palpebre gonfie. Mentalmente, il maresciallo chiese scusa alla signora Marangoni.

– Prego. Le generalità le ha già raccolte l'appuntato, vero? Allora, eccoci.

– Dunque. Sono venuta in merito agli spostamenti di Alfredo Cavalcanti, la persona che avete arrestato.

– Posta in stato di fermo. Comunque, mi dica.

– Ecco, la notte in cui Raimondo Del Moretto venne ucciso Alfredo Cavalcanti era in camera sua, e non si è mosso di lì.

Il maresciallo ebbe un sospetto tremendo.
– E lei, mi scusi, come fa a saperlo?
– Ero a letto con lui.
Ti ho chiesto scusa, prima, signora Marangoni? Ritiro tutto.

– Maresciallo, faccio passare?
– Sì, Melighetti, grazie.
Tanto ormai qui sta andando tutto a farsi benedire. Accidenti a me, agli avvocati, ai diritti dei sospettati e alla presunzione di innocenza.
Ce l'avevo in mano, ce l'avevo. E poi arriva questa tizia che si inventa di essere andata a letto con Alfredo Cavalcanti e mi sfila il sospetto dalle mani.
Perché ho capito chi sei, Anna Maria Marangoni. Sei quella tizia di cui mi parlava Valente, quella innamorata di Alfredo da decenni, che per lui si butterebbe nel fuoco. Posso parlare un attimo con l'avvocato? Sì, certo. Ecco, avvocato, vada dalla signora Marangoni e le dica di venire qui a dire che la sera in questione era a letto con me. Si fidi, si fidi, vedrà. E adesso?
– Buongiorno.
– Buongiorno. Prego, si accomodi.
Un'altra donna. Almeno, anagraficamente. Un coso pallido e slavato, infagottato in una serie di golfini assurdi, dato il caldo.
– Mi chiamo Giancarla Bernardeschi. Abito a Poggio alle Ghiande – disse il testimone XX, stringendo la mano al maresciallo. Il quale, rimettendo a posto la sedia, ringraziò il Signore di essere un carabiniere e non

un pianista. Dopo una stretta di mano del genere, la sua carriera sarebbe stata gravemente compromessa.

– Bene. Generalità, già date? Perfetto. Mi dica.

– Sì. Ecco, le volevo dire che la mattina in cui l'architetto Giorgetti è stato ucciso...

Alfredo Cavalcanti era a letto con lei? Pover'uomo. Avrà dovuto comprarsi dei vestiti nuovi, come minimo glieli hai strappati.

– ... io l'ho visto vivo, nel bosco, in compagnia di una persona. Verso le cinque e mezzo di mattina.

– Ah. Quindi alle cinque e mezzo Giorgetti era vivo.

– Esatto.

– E chi è questa persona con cui l'ha visto? È una persona che conosce?

– Certo, sì.

Dimmialfredocavalcantidimmialfredocavalcantidimmi...

– Si chiama De Finetti. È un agente immobiliare, è quello che ha condotto la trattativa per la vendita di Poggio alle Ghiande.

– Maresciallo, faccio passare?

– Vaivai, Melighetti.

Tanto ormai qui è andato tutto a puttane. Ora come minimo il prossimo teste accuserà me.

– Permesso?

– Prego, prego. Si accomodi. Lei è...

Un uomo alto, muscoloso, abbronzato, di quelli che non devono chiedere mai. Eppure, con un'aria di tristezza marcata negli occhi e nella postura.

– Mi chiamo Paolo Giorgetti. Sono il fratello di Marco Giorgetti.

Ah, ecco. Sì, ora torna.

– Buongiorno, signor Giorgetti. Mi permetta innanzitutto di presentarle le mie condoglianze.

– La ringrazio – disse Paolo Giorgetti mentre si sedeva. – Mi immagino che lei sia occupato nelle indagini, e non voglio farle perdere tempo.

– Non si preoccupi. Il mio tempo in questo momento è tutto dedicato alle indagini riguardanti suo fratello –. Il maresciallo guardò l'uomo, in modo serio. – Sono sicuro che lei abbia un buon motivo.

– Credo di sì, in effetti. Io e mio fratello ci scrivevamo abbastanza spesso, e volevo che lei desse un'occhiata alle ultime lettere che mi ha scritto.

Mentre parlava, Paolo Giorgetti aveva tirato fuori dallo zaino un iPad dalla custodia nera, con un adesivo a forma di geco. Istintivamente, il maresciallo pensò che fosse il simbolo di una qualche associazione di rocciatori. Il tipo aveva l'aspetto di quello che, per rilassarsi, si arrampica a mani nude su una parete impervia ma isolata, senza altra compagnia che quella del suo respiro.

– Mio fratello era una persona un po' particolare – continuò, mentre le dita scorrevano sullo schermo. – Le sue lettere iniziavano quasi sempre con delle assurdità, delle biografie apocrife, una ridda di cretinate che fanno... che facevano ridere solo noi due. Ma quando si usciva dal gorgo di cretinate, mio fratello era una persona estremamente intelligente e competente. E onesta. Talmente onesta da non sopportare la disonestà altrui.

– Capisco. E di quale altrui si parla, nelle lettere?

Paolo Giorgetti, nel frattempo, aveva aperto la casella di posta. Con due rapidi tocchi delle dita, aprì e ingrandì una lettera e la mise sotto gli occhi del maresciallo Carminati.

– Particolarmente, di un tale ingegner De Finetti.

– L'agente immobiliare?

– Lo conosce?

– Ancora non l'ho conosciuto – rispose il maresciallo.

Ancora.

Mi sa che dovrei farlo quanto prima.

Quattrodici

Per stare bene in riva al mare, occorrono poche cose.

Un asciugamano, innanzitutto: e se sei come Piergiorgio, maniaco dell'ordine e della pulizia, e hai comprato uno di quegli asciugamani ipertecnologici a tre strati che filtrano via ogni singolo granello di sabbia che ci cade sopra, mantenendo il corretto ordine sabbia/tessuto/corpo e non il contrario, stare stesi sull'asciugamano è una goduria.

Un bel libro, in secondo luogo: e se sei come Piergiorgio, e hai dietro solo un manuale di patologie autoimmuni, passi dall'appalto – un negozio a genere misto che esiste solo nei paesi piccoli, un po' edicola, un po' libreria, un po' negozio di giocattoli e se non c'è gente fanno anche le iniezioni – e ti prendi un Nero Wolfe che non si sbaglia mai.

Per rendere perfetto il tutto, manca solo la ragazza: e se sei Piergiorgio, hai accanto una ragazza agognata da tempo, e conquistata da poco. Il massimo della vita.

Poi, magari, tra qualche mese, la ragazza in questione incomincerà quella sottile opera di lavoro ai fianchi su vestiario, abitudini, quantità di tempo opportuna da dedicare allo sport e altro, che caratterizza ogni rapporto destinato a durare.

Ma per il momento questi problemi, se poi di problemi si tratta, non ci sono. Siete la coppia più bella del mondo, punto e basta, e invece di farvi il sangue amaro a criticarvi vicendevolmente siete molto più propensi a criticare gli altri.

– Ma come si fa?

– Ah, non lo so. Chiedilo a loro.

Di fronte a Piergiorgio e Margherita stava sfilando una coppia quasi completamente ricoperta di tatuaggi, lei con le braccia istoriate di frasi e imperativi categorici di sapore medievale – solo Dio mi può giudicare, più forte di qualsiasi cosa il mondo possa farmi, e altre simili opere dell'intelletto profonde come un pozzo artesiano – e lui con addosso un maglione d'inchiostro ricamato a motivi tribali, teneramente abbracciati e apparentemente orgogliosi.

– Quelli che mi fanno schiantare sono quelli che si fanno scrivere i nomi dei figlioli addosso – disse Margherita. – Si vede che hanno paura di dimenticarsi come si chiamano. Te l'immagini? Vieni qui – sguardo sotto l'ascella – Jonathan. Devo dire che avevo paura che tu fossi tatuato. Oddio, forse era meglio.

– Sì, lo so – disse Piergiorgio, guardandosi.

Da un punto di vista estetico, il triathlon ti regala un fisico asciuttissimo, abbastanza armonioso (grazie al nuoto) e privo di grasso superfluo (grazie al ciclismo). Purtroppo, uno degli effetti collaterali del ciclismo è una meravigliosa abbronzatura da muratore in versione total body: la testa, il collo, le braccia e le gambe appena sopra le articolazioni sono color cioccolato, il resto del corpo è crema di latte. Praticamente, un ometto Kinder.

– Qualche giorno di mare e va via – disse Piergiorgio. – Sono gli inconvenienti di inizio stagione.

– Allora tocca venire al mare tutti i giorni. Tanto te sei in vacanza, e io qui ho finito. Zeno mi ha detto che non ha troppa voglia di vedersi persone per casa, e non gli posso dare torto. Anche sul versante ricerca del Ligabue, mi sembra di aver capito che non ne abbia troppa voglia, almeno per ora. Però siccome l'autorità giudiziaria ci ha chiesto di rimanere tutti a disposizione, ha detto che per quanto lo riguarda posso rimanere nell'appartamento quanto voglio.

– Be', toccherà sacrificarsi.

– De Finetti Giorgio, nato a Piombino il venti-nove-millenovecentoottanta.

Il maresciallo Carminati, dopo un rapido frullare di tasti, spostò il portatile.

– Grazie. Allora, ingegnere, avrei un paio di domande da farle.

– Son qui apposta. Ha la mia massima collaborazione.

Seduto calmo e tranquillo, l'ingegner De Finetti sembrava perfettamente a suo agio nel suo vestito blu chiaro e camicia stirata di fresco. Non era nemmeno sudato, nonostante il caldo fosse micidiale.

– Bene. Allora, cominciamo con ordine – disse il maresciallo. – A che punto è la trattativa per la vendita della tenuta?

– A che punto è, mi chiede. Non glielo so dire, sinceramente. O meglio, da un punto di vista di acquisto, sicuramente è ferma in modo pressoché definitivo. Se mi perdona la battuta, ci abbiamo messo una tombale sopra.

– E da altri punti di vista?

– Ecco, da un punto di vista formale e legale, la società che rappresento sta aspettando l'esito delle indagini e si riserva il diritto di costituirsi parte civile nel processo.

Il maresciallo appoggiò i gomiti sulla scrivania e il mento sulle mani, nella tipica posa di chi si sforza di capire.

– Mi scusi, non siamo in tribunale, ingegnere. La pregherei di chiarire.

– Allora sarò il più chiaro possibile –. L'ingegnere aprì la mano destra e appoggiò sopra il palmo l'indice della sinistra. – I fratelli Cavalcanti hanno firmato un preliminare di vendita di una tenuta che, ai fini del compratore, è inutilizzabile –. L'ingegnere si appoggiò all'indietro sullo schienale, con le mani aperte, in un gesto a metà fra il sincero e lo sconcertato. – Hanno fatto perdere tempo a loro, e hanno fatto perdere credibilità a me, che ho cercato il posto adatto, l'ho individuato, ho preso i primi contatti e poi l'ho preso in quel posto. Se adesso verrà comprovato che Alfredo Cavalcanti sapeva dell'esistenza del sito archeologico, è mia...

Pausa, pollici a indicare l'ingegnere stesso.

– ... e nostra intenzione...

Ripausa, indici tesi verso sinistra, idealmente puntati verso la Cina.

– ... chiedere un cospicuo risarcimento. Domani stesso dovrei recarmi ad Hanban, presso la sede centrale, per discutere la cosa.

– E chi vi risarcirebbe? Alfredo Cavalcanti non ha un soldo.

L'ingegner De Finetti accavallò le gambe e si prese un ginocchio fra le mani. La classica posa di chi gli importa una sega chi paga, basta che qualcuno paghi.

– Il contratto è stato sottoscritto da entrambi. E Zeno i soldi ce li ha. Oppure, si può pensare a una riscrittura del contratto di vendita con un prezzo, diciamo così, fortemente ribassato. La tenuta non interessa più per lo scopo primario, ma non è certo un posto da buttare via.

– E lei ha elementi che mostrino in maniera inequivocabile che Alfredo o Zeno ne fossero a conoscenza? Oppure ne aveva l'architetto Giorgetti?

L'ingegnere scosse la testa.

– L'architetto Giorgetti non sapeva molto di più di quello che ha detto durante la riunione.

– E lei come lo sa?

L'ingegnere stavolta rimase immobile.

– Be', presumo che se avesse avuto qualcosa di puntuale da dire...

– Lei non ha più visto l'architetto Giorgetti, dopo la riunione con i fratelli Cavalcanti?

– No. Ci siamo messi d'accordo per parlarci la mattina dopo, ma come sa...

– Io so solo che una persona asserisce di averla vista parlare con l'architetto Giorgetti, in pineta, alle cinque e mezzo di mattina. Della mattina in cui il Giorgetti è stato trovato cadavere.

– Chi sarebbe questa persona?

– Per adesso non posso dirglielo.

L'ingegner De Finetti adesso sudava, visibilmente.

– Mi scusi lei, maresciallo, ma mi rifiuto di continuare questa conversazione. Non ho intenzione di rispondere oltre.

– È un suo diritto – disse il maresciallo, premendo un tasto sul telefono.

– Bene –. L'ingegnere si alzò e si mise a posto la giacca. – Se abbiamo finito, allora, io me ne andrei.

– Ecco, questo invece non è un suo diritto –. La porta si aprì, e comparve il rigido e solerte carabiniere Melighetti.

– Ma cosa...

– Vede, ingegnere, temo che non sia opportuno che lei si rechi in Cina allo stato attuale. Purtroppo, in questo momento la sua presenza qui è necessaria –. Il maresciallo, alzandosi dalla sedia, fece un cenno al carabiniere impalato accanto allo stipite.

– Melighetti, il signor De Finetti è in stato di fermo. La pregherei di accompagnarlo in cella di sicurezza.

– Quindi adesso lei non si occupa più delle indagini?

Zeno Cavalcanti precedeva il colonnello Valente, districandosi nei corridoi della stanza della collezione.

– No, io ho svolto le mie funzioni di polizia giudiziaria solo perché ero l'ufficiale più disponibile al momento –. Valente si guardava intorno, vagamente imbarazzato. – Da adesso, le indagini sono passate ai carabinieri. Poi interverrà la magistratura.

– E secondo lei mio fratello verrà trattenuto ancora?

– Io, sinceramente, credo di no. C'è una testimonianza che lo scagiona dall'omicidio di Raimondo, e non ci sono ragioni solide al momento per pensare che sia coinvolto nell'omicidio del Giorgetti.

Zeno, fermandosi di fronte alla vetrina contenente i liquori e i bicchieri, sorrise.

– Mi sembra di aver capito che il suo collega non sia troppo convinto della testimonianza che scagiona Alfredo.

È chiaro che non ne è convinto. Sembra una cosa organizzata ad arte, dai.

– Non conta quanto sia convinto. Conta cosa pensa il magistrato, e di fronte ad una testimonianza chiara e dettagliata non si può fare molto.

– Lo spero sinceramente, colonnello. Spero che mio fratello venga liberato in fretta. Ha commesso un reato, e si è approfittato della mia fiducia, ma uccidere qualcuno...

– Non ne sarebbe mai capace?

– No, questo non glielo so assicurare – rispose Zeno, mentre toglieva dalla vetrinetta una bottiglia di cognac e alcuni bicchieri. – Non si sa mai cosa possa fare un nostro simile, e quando uso la parola simile, nel mio caso, lei capisce che parlo sul serio. Comunque, io ribadisco la mia piena disponibilità a fare luce sugli aspetti anche solo minimamente ambigui di questa vicenda.

– Certo. Certo. Per questo sono qui, infatti. Io, in teoria, sto solo raccogliendo informazioni inerenti alla morte di Raimondo, e devo accertarmi che il Ligabue...

– ... non sia nella misteriosa stanza segreta di Zeno. A proposito, non mi ha ancora detto come ha fatto ad accorgersene.

– Non me ne sono accorto io. Me lo ha detto l'architetto Giorgetti, la prima volta che abbiamo parlato.

Già. Le faccio un disegnino, aveva detto l'architetto, e gli aveva fatto davvero un disegnino. Una piantina della casa, pianoterra e piano primo, perfetta in ogni particolare, dalla quale veniva fuori con chiarezza che c'era una stanza mancante al piano di sopra. Quell'uomo sapeva fare il suo lavoro. E io, si ripeté il colonnello per convincersi, sto solo cercando di finire il mio.

– Capisco. Stia attento, per cortesia, e faccia un passo indietro.

Insinuando una mano dentro la vetrina, Zeno toccò qualcosa. Probabilmente un tasto a riconoscimento di impronta digitale. Dopo un piccolo ronzio, la vetrinetta fece tac e si staccò dal muro per un paio di centimetri.

– Ecco qui. Apra pure senza paura.

– Ma i bicchieri...

Zeno sorrise in modo compiaciuto. Si vedeva che era molto orgoglioso di quell'idea.

– I bicchieri e le bottiglie rimasti sono incollati. Quando si sospetta di una stanza segreta si cerca dietro le librerie, o gli specchi. Nessuno comincerebbe da un mobile pieno di bicchieri e bottiglie, no? Apra, apra.

Con delicatezza, come se avesse paura di rompere qualcosa anche se non era chiaro cosa, il colonnello aprì. Automaticamente, dietro la vetrina si accese la luce.

La luce proveniva da alcuni faretti montati sulle pareti. Due, per la precisione, che puntavano sulla parete immediatamente opposta alla vetrina.

Alla luce dei faretti, stava un grande dipinto a olio.

Un nudo di donna, dipinta di schiena, accanto a una finestra che faceva entrare una luce piena, vera, che definiva sul pavimento di legno un piccolo trapezio luminoso. Intorno, una stanza disadorna, spoglia, quasi troppo grande rispetto al soggetto. Anzi, troppo grande.

Nel guardarlo, il colonnello Valente pensò che la scena dal vero doveva essere molto meno bella del quadro che l'aveva ritratta.

Un quadro meraviglioso.

– Le piace?

– Cavolo se mi piace. Cioè, io non ci capisco molto di arte, ma...

– Lei è un essere umano, e quindi di arte capisce quanto basta. Se invece vuole sapere qualcosa di collezionismo d'arte, che è una cosa diversa, forse vorrebbe sapere qualcosa di chi l'ha dipinto, e del perché lo tengo qui.

– Eh, sì. Sì, certo.

Zeno intrecciò le mani dietro la schiena, alzando il mento.

– Questo dipinto è opera di Giovanni Fattori. Il massimo esponente della corrente italiana dei macchiaioli. Quanto al perché lo tengo qui... – Zeno prese un respiro – ... questo quadro è unico.

– Mi perdoni, in che senso?

– È un nudo di donna. Fattori aveva soggetti preferiti, come i militari e le scene di natura, soggetti che usava talvolta, come se stesso e la famiglia, e soggetti che non compaiono mai. Come i nudi di donna. Fattori non ha mai dipinto nudi di donna –. Zeno sorrise. – A parte questo. È il quadro che mi è più caro. Il vertice della mia collezione. Ed è qualcosa di unico. Ce l'ho solo io. Ed io solo, e pochissime altre persone fidate, sanno che ce l'ho.

– Mi scusi. Lei mi giudicherà un insensibile...

– Quanto potrebbe valere?

– Ecco.

Prima di rispondere, Zeno toccò il quadro su un fianco, come se volesse rassicurarlo del fatto che non lo avrebbe venduto mai.

– È un olio su tavola di grandi dimensioni. Ed è molto, molto particolare. Non si immagini quotazioni folli. Se fossi una casa d'aste, mi sorprenderei di venderlo per meno di trecentomila euro.

Cioè, un appartamento.

Di grandi dimensioni, anche quello.

– Senta, signor Cavalcanti, visti gli ultimi avvenimenti, è mio dovere perquisire questa stanza. Lei può rimanere, ovviamente.

– Certamente, certamente –. Il collezionista si guardò intorno. – Non credo ci vorrà molto tempo, no?

– Ma tu quindi la sapevi questa storia della stanza segreta?

Margherita, mentre finiva di spalmarsi la crema solare, annuì.

– Certo. Ci sono anche stata. Devo dire che fa un po' impressione. Da tutti i punti di vista. E il Fattori è splendido.

– Ti credo sulla parola. Io, invece, ti dirò che trovo splendido questo oggetto qui davanti –. E Piergiorgio mostrò col palmo della mano il mare. Azzurro, che sfumava nel blu, calmo e indisturbato, a parte quei due o tre impavidi turisti pànnoni per cui la temperatura adatta per cominciare a fare il bagno è quella a cui l'acqua è liquida. – E proverei ad andare a farmi un tuffettino. Te vieni?

Margherita si sdraiò mollemente sull'asciugamano, in una posa languida che fece rimpiangere a Piergiorgio la presenza di tutta quella gente inopportuna sulla spiaggia.

– Te sei scemo. Ho provato a metterci l'alluce prima, manca poco mi si stacca da quanto è fredda.

– Ma figurati. Un po' ghiaccina all'inizio, ma poi ti muovi e passa subito.

Piergiorgio si alzò in piedi, apparentemente deciso, mentre Margherita frugava nella borsa alla ricerca del libro, con un braccio gettato all'indietro e la schiena ben adagiata sull'asciugamano.

– Ecco, appunto. Ti muovi. Io e te il mare lo concepiamo in modi diversi –. Trovato il libro, Margherita lo estrasse dalla borsa e sorrise. – Ah, visto che conosco il mio pollo, non ti provare nemmeno ad abbracciarmi quando torni, di corpi freddi ultimamente ne ho abbastanza.

Quando uscì dall'acqua, un quarto d'ora dopo, Piergiorgio era decisamente infreddolito. Troppo difficile nuotare in quell'acqua bassa, e non troppo furbo andare al largo, perché le correnti erano veramente forti. Questa la scusa ufficiale. A livello ufficioso, la presenza di Margherita in bikini a fascia aveva la sua importanza, sia nel distrarlo dal gesto tecnico, sia nel consigliargli di tornare sull'asciugamano.

Cosa che fece, distendendosi, senza abbracciare Margherita, come da accordi.

– Eccoci. Ritiro quanto ho detto prima, hai fatto la scelta giusta.

Silenzio. Margherita stava sdraiata sulla pancia, e non rispose.

– Margherita?

La ragazza tirò su la testa. Nel sole, Piergiorgio vide due occhi verdi. Molto verdi. Nel senso che la pupilla praticamente era grossa come una moneta da cinque centesimi, ma la corona dell'iride quasi brillava, a contrasto con tutto quel nero.

– Piergiorgio...

Non era una domanda.

– Confermo. Sono io.

– Piergiorgio, dobbiamo chiamare Valente.

– Mi stai proponendo una cosa a tre? Sappi che sono un po' all'antica, su questi aspetti.

– Piergiorgio, ho capito chi ha ucciso Raimondo.

– Quindi, avrebbe ucciso Raimondo e anche l'architetto?

Il colonnello Valente guardò prima Margherita, poi Piergiorgio. La ragazza, tormentandosi le unghie con le dita, annuì, senza parlare.

– Esatto. Certo – confermò Piergiorgio.

– Sì, torna. Torna, certo. La ricostruzione è convincente. C'è solo un piccolo particolare. Non abbiamo prove di quello che dite.

– Per questo abbiamo chiamato lei, colonnello – disse Piergiorgio, sperando di risultare convincente e professionale. – Senza di lei, non possiamo sperare di ottenere quello che cerchiamo. Lei ha indagato sul caso, ha l'autorità per richiederlo in tempi brevi.

– Va bene. Allora mi attivo subito. Adesso...

Il telefono squillò.

– Unocinque unocinque, dica.

Breve silenzio.

– Sì. A Poggio alle Ghiande, mi ha detto? Ma nella pineta?

Breve silenzio.

– In casa? In quale casa?

Rumore incomprensibile da più di un centimetro dalla cornetta.

– Arriviamo subito.

Rumore di telefono buttato giù.

– Bene, ragazzi. Devo andare a Poggio alle Ghiande. Se venite con me, mentre andiamo telefono e vediamo di farci mandare subito quello che ci serve.

Piergiorgio e Margherita si guardarono.

– Certo che veniamo con lei, ma... – cominciò Piergiorgio.

– ... ma cosa è successo ancora lì, a... – proseguì Margherita.

– ... a Poggio alle Ghiande? – disse Valente, completando il ciclo Qui-Quo-Qua. – Eh, pare che il polacco, Piotr, si sia asserragliato in cantina. C'è stato un piccolo incendio in casa sua, dice. E ora 'sto tizio dice che la casa è posseduta dal demonio e si rifiuta di uscire da lì.

– Incendio in casa? Contatto elettrico?

– Pare di no –. Il colonnello prese le chiavi della jeep. – Se non ho capito male, pare che gli abbia preso fuoco il cesso...

Quindici

– Dai, Piotr, non aver paura. Esci. Ci siamo qui noi.
– Non aver paura?

La scena, quando arrivarono Valente, Piergiorgio e Margherita, era paradossale esattamente come se l'erano immaginata.

Davanti alla porta della cantina, a formare una specie di arco a tutto tondo, stavano Giancarla, Riccardo Maria, il maestro Della Rosa, Cristina Salitutti ed Anna Maria Marangoni; in mezzo a loro, nel ruolo di chiave di volta, Zeno Cavalcanti, forse non esattamente calmo come al solito, ma con la voce ancora più pacata e decisa del normale. Cosa consigliabile, quando si parla coi pazzi.

– Piotr, ascoltami, per favore. Non c'è assolutamente nessun pericolo. La casa non ha avuto danni, abbiamo spento il fuoco subito. Non c'è niente di cui aver paura.

– Paura? Paura? Io ho paura, signor Zeno. Lei può dire me che non ho paura, ma io non decido io di aver paura!

Con autorità, e senza che nessuno si opponesse, il colonnello Valente si insinuò nell'arco umano e raggiunse la porta.

– Signor Kucharski, sono io, Valente. Se la sente di raccontarmi cosa è successo?

Quello che era successo a Piotr si poteva, in un certo senso, catalogare come errore di valutazione. In altri termini, Piotr aveva capito male.

Capire una cosa significa essere in grado di spiegare ciò che non sappiamo mettendolo in relazione con ciò che sappiamo. Ora, siccome Piotr Kucharski era un ignorante colossale e l'unica cosa che sapeva con certezza era che Dio è onnipotente e il diavolo quasi, gli veniva naturale spiegare ogni cosa in termini di bene e male.

La tenuta non sarebbe stata venduta, e ciò era un bene. Quindi, il demonio non aveva più interesse a manifestarsi nella tenuta. Questo, nella mente di Piotr, significava che le manifestazioni demoniache che aveva visto non avevano più senso di essere, e quindi poteva stare tranquillo. E difatti, tornato a casa, le luci si erano accese normalmente, e il pavimento non sembrava più piangere sangue.

Tutti noi, nella vita, ci convinciamo di aver capito la causa di alcuni eventi, e comprendiamo il nostro errore solo quando succede qualcosa che la nostra teoria non aveva previsto.

Esattamente quello che capitò a Piotr quando, dopo essere entrato in bagno, si sbottonò i pantaloni e incominciò a fare pipì.

Un paio di secondi dopo, mentre godeva di uno dei pochi piaceri corporali consentiti da tutte le religioni del mondo, Piotr vide che di fronte a lui, nell'acqua del water, si era accesa una piccola fiammella rossa, che roteava sulla superficie del liquido.

Mentre una mano di ferro gli stringeva il cuore, Piotr si era allontanato e aveva tirato lo sciacquone, spaventato ma deciso.

Un attimo dopo, dalla buca del cesso era partita una colonna di fuoco.

Due attimi dopo, era partito anche Piotr, a corsa, con quella velocità che solo una paura incontrollabile può dare.

– Fuoco dal cesso, signore colonnello! Fuoco vero! Dall'acqua! Voi dite quello che volete, ma questo è demonio!

E giù una sfilza di parole in polacco, che a conoscere Piotr avrebbero dovuto essere preghiere, ma che a conoscere il polacco sarebbero risultate imprecazioni, e anche parecchio esplicite.

Mentre l'uomo bestemmiava, il colonnello Valente girò intorno lo sguardo, fino ad incrociare quello di Giancarla Bernardeschi. La quale, prima di abbassare le ciglia, indicò brevemente con gli occhi Riccardo Maria e il maestro Della Rosa.

– Signor Kucharski, Piotr, mi stia a sentire. Il demonio non c'entra niente. Le hanno fatto solo uno stupido scherzo.

– Scherzo? Scherzo? Fiamme dall'acqua lei chiama scherzo?

– Piotr, ascoltami, sono Enrico. Enrico Della Rosa. Ascolta, sono un coglione. Ho esagerato.

E qui, mentre al di là della porta l'uomo taceva, Enrico Della Rosa aveva spiegato di aver versato sulla superficie dell'acqua del water un po' di petrolio bianco, e quindi di averci appoggiato sopra un pezzetto di potassio.

– Come, potassio? – chiese Zeno Cavalcanti.

– Sì. Potassio metallico. L'ho preso l'altro giorno in laboratorio da Modu.

– Modu?

– Mamadou, il mio figliolo più grande. È ricercatore a chimica farmaceutica. Me l'ha traviato la Giancarla quand'era piccino – disse il maestro, tentando di metterla in burla. – Comunque, una volta si parlava con Giancarla del fatto che i metalli alcalini a contatto con l'acqua prendono fuoco. E allora, quando la Giancarla m'ha detto che Piotr era convinto che la tenuta fosse indemoniata, m'è venuto in mente che potesse essere un bello scherzo...

– Bello scherzo? Bello scherzo? Io quasi morto, maestro! Io quasi morto! Altro che scherzo!

– Sì, Piotr, hai ragione. Ti chiedo scusa, anzi, ti chiedo perdono. Però è stata colpa mia, Piotr, solo colpa mia. Il demonio non c'entra per niente.

– E pavimento? Pavimento che piange sangue?

– Ah, di quello non ne so nulla. Non so abbastanza di chimica per far sanguinare le mattonelle.

Il colonnello Valente, lentamente, girò lo sguardo su Giancarla Bernardeschi. La quale, dopo un piccolo sospiro, si accostò alla porta.

– Ascolta, Piotr, quella è responsabilità mia. Ho pennellato sul pavimento un indicatore acido base che si chiama fenolftaleina. È un indicatore, una sostanza che cambia colore a seconda dell'ambiente in cui si trova. Un po' come una cartina al tornasole, ma liquida. Se è in ambiente acido, è trasparente. Se è in ambiente basico, diventa rosso sangue. Quando hai passato la varichina, che è basica, hai cambiato il pH sopra il pavimento e la fenolftaleina è diventata rossa. Hai capito? – Giancarla sospirò di nuovo. – Era per farti un piccolo scherzo, lo ammetto. Non certo una cosa pericolosa come quella di prima. Non mi immaginavo che ti avrebbe fatto questo effetto. Mi dispiace, ma se tu non avessi passato la varichina, come ti avevo chiesto, non sarebbe successo nulla.

– E anche se tu non ti fossi messo a blaterare del demonio... – tentò il maestro Della Rosa, ma bastò un'occhiata della moglie per troncare la frase.

Dopo la spiegazione di Giancarla, ci fu qualche attimo di silenzio. Non si capiva se Piotr stesse ancora pensando, o se fosse morto nell'eroico tentativo. Passato qualche attimo, però, si udì nuovamente la voce del polacco, lievemente meno accorata.

– E interruttori? Luce che si accende a caso?

– Quella è responsabilità mia, Piotr – disse Riccardo Maria Torregrossa. – Ho aperto la scatolina dell'interruttore e l'ho collegato a un circuitino che chiudeva i contatti in modo random. E ho isolato il contatore, così anche se lo staccavi la luce continuava a funzionare. Adesso è tutto a posto, l'ho riparato ieri mattina mentre eri da me. Anche io non immaginavo di farti tutta questa paura, Piotr. Scusami. Ma adesso dammi retta, il demonio non c'entra niente. Non devi aver paura.

Riccardo Maria rimase accostato alla porta, con l'orecchio teso. Quasi subito, si sentì la replica.

– Non devo aver paura? Io non devo aver paura, tu dici. Qui fuori c'è qualcuno che ammazza la gente. E io non devo avere paura? Come fate voi, come fate, a non avere paura? Branco di matti!

La voce di Piotr, adesso, aveva cambiato registro. Da impaurita, era diventata quasi implorante.

– Tu fatto scherzo, altri fatto scherzo, ma altri no. Raimondo ucciso e gli hanno dato fuoco. Architetto ucciso. Tu hai spiegazione anche di questo?

Il colonnello Valente girò lo sguardo verso Margherita.

La quale, dopo un attimo, voltò il viso verso Piergiorgio.

È vero che una delle responsabilità più pesanti di un medico, una di quelle che non si può rifiutare di accollarsi, è di spiegare ai parenti e ai cari di un defunto i motivi del decesso. Ma lo sguardo di Margherita in questo caso non era rivolto a un medico, era rivolto a Piergiorgio.

Fiducia totale.

Da un punto di vista razionale, Piergiorgio sapeva che quello che stava per dire era, oltre che ragionevole, anche comprovabile, e che dopo la sua spiegazione la situazione, già pesante, sarebbe ulteriormente peggiorata. Ma l'uomo non è solo ragione. E da un punto di vista istintivo, Piergiorgio si sentì orgoglioso.

Orgoglioso di quello sguardo di fiducia totale e incondizionata. E orgoglioso che quello sguardo gli venisse rivolto da una persona talmente intelligente da capire cosa era successo.

E una fiducia del genere va onorata.

– Ce l'ho io una spiegazione.

Tutti i componenti della volta terrena si voltarono verso Piergiorgio. Il quale, distogliendo lo sguardo da Margherita, si accostò alla porta.

– Sì, Piotr. Se mi stai ad ascoltare, se mi state ad ascoltare, posso spiegarvi cosa è successo.

– Cominciamo dall'inizio, Piotr. Raimondo è stato trovato morto, carbonizzato in mezzo ad un incendio. L'incendio era doloso, appiccato dall'uomo. Sono stati rinvenuti resti di carburante sul corpo di Raimondo. Significa che Raimondo era ricoperto di benzina. È stato il corpo di Raimondo l'innesco dell'incendio.

Piergiorgio, col viso rivolto verso la porta, apparentemente stava parlando con Piotr. Ma ad origliare, ad ascoltare, erano tutti quelli che stavano lontano dalla porta, e Piergiorgio lo sapeva benissimo.

Per questo stava parlando a voce più alta del normale. E per questo parlava guardando la porta.

Non voleva vedere cosa sarebbe successo, nell'attimo in cui avrebbe detto cosa stava per dire.

– Cosa? Raimondo ha appicciato incendio?

– No, Piotr. Raimondo non ha fatto nulla. Quando il fuoco è partito, Raimondo era già morto. Era già stato ucciso.

– E perché?

– Per portargli via qualcosa, Piotr. Qualcosa di molto prezioso. Un'opera d'arte. Un Ligabue.

– Prezioso? Ligabue?

Nel momento di silenzio che seguì, il maestro Della Rosa alzò un dito, timoroso come uno scolaro di fronte alla maestra che ha appena messo un bambino esagitato dietro la lavagna, inchiodandolo per i passanti della cintura.

– Sì, scusate, magari non ho diritto a parlare – disse il maestro Della Rosa. – Ma, ecco, visto che stiamo parlando di uccidere qualcuno, mi chiedo: ne vale la pena? Cioè, vale davvero così tanto un Ligabue?

Gli sguardi, dal maestro, si voltarono automaticamente verso Zeno Cavalcanti, che restò qualche attimo interdetto, prima di rispondere.

– Non quanto si crede. Dipende dalla dimensione – disse, con aria un po' stranita, continuando a guardare Piergiorgio. – Un quadro a olio, grande, centomila euro circa. Un disegno su carta, cinquemila, forse. Ma è in Italia che Ligabue ha quotazione, fuori c'è molta meno domanda.

– Mi scusi, dottore, professore, ma lei ucciderebbe qualcuno per un oggetto che vale centomila euro?

– Io non ucciderei nemmeno per un oggetto che ne vale un miliardo, maestro. Ma qui non stiamo parlando di soldi, stiamo parlando di un'opera d'arte. Di un'opera d'arte unica.

– Che resta comunque un oggetto. Un oggetto che si può rubare. Perché non l'hanno rubato?

– Perché non era possibile impossessarsi dell'opera senza uccidere Raimondo.

– E perché?

– Perché Raimondo ce l'aveva tatuata sulla schiena.

E, detto questo, guardò il colonnello Valente.

È un vero peccato che, in italiano, esista una sola parola che significa silenzio, e che non sia in grado di distinguere tutte le diverse possibilità che portano a tale silenzio, o che descrivano cosa ci aspettiamo da questa assenza di suono che non è mai assenza di significato.

Ci sono silenzi con cui si assente, ci sono silenzi con cui si prende coscienza, e ci sono silenzi insopportabili. Come questo.

Il colonnello Valente aspettò che tutti gli sguardi si voltassero, per cominciare a parlare. Adesso toccava a lui. Anche perché era palese che Piergiorgio non aveva intenzione di dire una parola in più, e Margherita aveva messo in chiaro che lei non ne avrebbe detta nemmeno una.

Ma gli sguardi delle persone non andarono tutti verso il colonnello. Anzi. Ognuna guardava in una direzione diversa. Verso la persona di cui si fidava di più, o verso quella di cui si fidava di meno. E il silenzio continuò, finché il colonnello non si schiarì la gola.

– Ho appena contattato l'archivio di Stato preposto alla conservazione delle cartelle cliniche dell'ospedale psichiatrico di Reggio Emilia – disse, cercando di assumere il tono più impersonale possibile. – Data la natura violenta della morte, abbiamo potuto richiedere la cartella clinica del defunto. La cartella clinica conferma che il defunto Raimondo Del Moretto aveva tatuata sulla schiena una tigre, eseguita con aghi e tempera, di nascosto, dal pittore Antonio Ligabue.

Pausa, respiro profondo, più del necessario del parlare, meno di quanto sentiva il bisogno per andare aventi.

– Il fatto che il cadavere fosse carbonizzato ci ha impedito di notare, anche a livello autoptico, una cosa che, se il corpo fosse stato integro, sarebbe stata evidente. Al corpo mancava una larga parte di pelle della schiena. Parte che è stata incisa, staccata e asportata dall'assassino.

– Ho capito, colonnello – disse il maestro, che sembrava l'unico in grado di parlare, ma anche l'unico in grado di ragionare, due cose che non sempre vanno d'accordo. – Ma io non saprei spellare e squartare un essere umano, anche da morto. L'assassino deve essere un medico per forza.

– L'assassino è una persona pratica di procedure chirurgiche, ma non è detto che sia un medico. Potrebbe anche essere una persona esperta di macelleria.

– Un macellaio?

– No, signor Della Rosa. Ho detto una persona esperta di macelleria. Esperta di macelleria, oltre che d'arte. Qualcuno che magari in gioventù ha acquisito una certa esperienza in questo tipo di trattamenti. Magari perché lavorava in una fattoria. O magari perché possedeva una fattoria.

Tutti gli sguardi, stavolta, si focalizzarono sullo stesso punto.

E intorno a quel punto c'era Zeno Cavalcanti.

– Lei sta veramente parlando di me?

– Lei ha una fattoria, signor Cavalcanti. Lei ha ammesso pubblicamente, qualche tempo fa, di essere in grado di uccidere e scotennare maiali e altre bestie, e che la cosa non le fa impressione.

– Si parla di maiali, colonnello. Un maiale, con pochissime eccezioni, non è un essere umano.

– Lei è un esperto d'arte, signor Cavalcanti. Lei sarebbe stato in grado di fare quello che abbiamo descritto. Lei aveva il movente, l'occasione e le competenze per farlo.

– Quanto al movente, colonnello, mi permetta di dissentire. Le ricordo che, ragionando per assurdo, per via testamentaria Raimondo mi aveva destinato quell'opera come lascito. E Raimondo era molto anziano, e non godeva di perfetta salute. Difficilmente mi sarebbe sopravvissuto. Per quanto delirante questo possa sembrare – e probabilmente lo è, e non credo che nessun avvocato mi avrebbe mai permesso di acquisire tale opera – perché avrei dovuto uccidere qualcuno per prendere qualcosa che sarebbe stato mio fra poco?

– Perché anche l'opera non sarebbe durata tanto. Giusto, professor Pazzi?

Piergiorgio assentì. Poi, visto che con lo sguardo Valente lo incitava a continuare, dopo un secondo di esitazione continuò:

– Raimondo aveva una malattia dermatologica piuttosto grave. Il pemfigoide senile di Lever – disse Piergiorgio, scandendo le parole. – Una malattia che dà bolle violacee, prurito, e che piano piano si estende a tutto il corpo, spesso cominciando dalla schiena. E dove si estende distrugge il derma. E gli eventuali tatuaggi che vi si trovano.

Piergiorgio aprì le mani, scuotendo la testa.

– È una malattia curabile, per fortuna. Ma bisogna avere la volontà di curarsi, non si può obbligare qualcuno a curarsi per il cancro, figuriamoci per il pemfigoide.

E, detto questo, incrociò le braccia, guardando Valente. Fin quando mi si chiede di spiegare una patologia, è compito mio. Io ho giurato di curare le persone, tu di difendere lo Stato. Da adesso in poi, bello mio, tocca a te.

– Non si può convincere una persona a curarsi con la forza. A parte malattie psichiatriche, e questo Raimondo lo sapeva bene. Il male com'è venuto deve andare via da solo, lo diceva spesso, vero? È comprensibile, del resto, che uno che aveva fatto la sua vita fosse poco incline a farsi vedere da un dottore. Però, nonostante tutto, lei ha cercato di convincerlo a curarsi, vero, signor Cavalcanti?

– Certo. Certo che ho tentato di convincerlo a curarsi. Era una malattia, era una malattia pericolosa, è chiaro che ho cercato di convincerlo. Ma non ci sono riuscito, lo ammetto. Mi ci sono pure arrabbiato, lo ammetto –. Zeno intrecciò le mani dietro la schiena. – E supponiamo pure che per salvare il tatuaggio, per salvare un'opera d'arte unica ed irripetibile, lo abbia anche ammazzato, lo abbia scotennato e gli abbia portato via un pezzo di schiena. Abbiamo supposto questo, se non sbaglio, ma lo dovreste provare, non solo elucubrarlo.

– Ha ragione, signor Cavalcanti. Credo che sia il caso di farlo. Cominceremo dal fondo, se non le dispiace. Da quello che resta di Raimondo. Perché, vede, sappiamo dov'è. È in una stanza in cui solo lei ha accesso.

– Ah, intende il mio sancta sanctorum? Aspetti, già che ci siamo, diciamolo a tutti. Signore e signori, sappiate che al piano primo della mia abitazione si trova una stanza a cui ho accesso solo io, e nella quale tengo quadri di enorme valore, tesori trafugati ai nazisti e anche resti del riscatto di Montezuma. O forse queste cose non ci sono? Lo dovrebbe sapere, colonnello, l'ha perquisita in mia presenza.

Gli astanti risposero con il silenzio. Ancora un altro, diverso, silenzio, fatto di sguardi in terra e di palme sudate. Quello di chi spera di aver capito male, ma sa di aver capito benissimo, e non sa a che santo votarsi.

A parte Piotr, s'intende.

– Ah, ma io non intendo quella stanza, signor Cavalcanti. Intendo l'altra. Intendo la stanza davanti a cui siamo –. Il colonnello fece un gesto pratico, da agente immobiliare, mostrando la porta di legno rosso. – La stanza più fredda della casa, quella ideale per conservare un reperto biologico sperando che non si rovini.

Al tempo stesso, quella in cui lei conserva le sue bottiglie più preziose non consentendo a nessuno, e meno che mai a suo fratello, di accedervi. Intendo la cantina.

Zeno aprì la bocca, poi la richiuse. Come se non fosse più in grado di respirare, e gli mancasse l'aria.

– Posso venire qui con un mandato, signor Cavalcanti, e farmela aprire. Oppure può comunicare lei a Piotr il codice di accesso.

Il collezionista, nell'arco di poche frasi, aveva cambiato colore.

Un esperto d'arte lo avrebbe descritto come ocra grigiastro, un architetto avrebbe riconosciuto il pannello 4525 CP del pantone, un medico lo avrebbe definito terreo.

Per un ufficiale di polizia, quello era il colore di chi si vede con le spalle al muro.

– Non c'è un codice di accesso – disse Zeno, con la voce roca. – L'entrata è con il riconoscimento di impronta digitale. Solo io ci posso entrare. Ci posso entrare solo io.

– Lei è consapevole di quello che mi sta dicendo, vero?

– Sì, colonnello. La prego, mi porti via. Dirò tutto, ma non qui, la prego.

Epilogo

– Sì, mamma. Sì, praticamente sì. Esatto. Anche l'architetto. Praticamente, l'architetto aveva fatto una allusione durante un incontro tra i fratelli e i compratori. Aveva fatto una battuta sul fatto che secondo lui Zeno aveva visto Raimondo nudo. Te lo ricordi, te lo avevo detto, che Zeno si era inferocito? E te lo avevo spiegato che non mi tornava.

In piedi, davanti alla moto, Piergiorgio aspettava, mentre a qualche metro da lui Margherita camminava avanti e indietro. Intorno a loro, incasinato e indifferente, il porto di Piombino, brulicante di persone, moto, auto, camper, e turisti che essendo in vacanza non avevano tempo da perdere, e guardavano spazientite verso l'orizzonte per tentare di scorgere il traghetto appena potevano, come se questo avesse dato loro il diritto di imbarcarsi prima.

– Ma certo che ero convinta che non fosse gay. Senti, mi faceva le radiografie. Una se ne accorge, lo sai anche te. Sì, altri tempi, va bene. Conosco delle trentenni che... Sì, te lo dico per farti piacere. Va bene. Comunque, il fatto è che Zeno ha avuto paura che l'architetto avesse capito che il Ligabue era un tatuaggio.

Eh, questo non lo so. E se l'aveva capito non lo sapremo mai, mi sa.

A volte crediamo di sapere tutto di una persona; di solito, capita quando la conosciamo da poco. Poi la conoscenza si approfondisce, la persona in questione ci permette di entrare nelle sue segrete stanze, e vengono fuori cose insospettabili. Come il fatto che Margherita telefonasse a sua madre ogni mattina alle dieci in punto.

– Sì, comunque ha confessato tutto. Raimondo e l'architetto, sembra un giallo. Solo che c'ero in mezzo. Sì, come no. E chi mi doveva ammazzare? Sì, anch'io non me lo immaginavo, però vuoi mettere la soddisfazione di dire a babbo che la vita dell'archivista non è così pallosa come credeva? Anzi, ora quasi quasi mi arruolo in polizia. Sì che scherzo, mamma. Certo. Come dici?

Margherita fece cenno «cinque minuti» a Piergiorgio, che rispose con il pollice in su. Va bene la deriva dei continenti, ma era convinto che l'Isola d'Elba l'avrebbero trovata lì dove si aspettavano che fosse. In fondo, era passato appena un giorno, anche se sembravano dieci.

Era bastata una telefonata. Sì, ha presente la doppia uso singola prenotata a nome Pazzi? Sì, esatto. Potrei trasformarla in doppia? Sì. Mi raggiunge qualcuno. Nessun problema? Grazie. Grazie davvero.

In lontananza, si sentì un muggito di sirena, e dal golfo spuntò la prua di una nave bianca e rossa. La nostra, fece cenno Piergiorgio a Margherita.

– Sì, mamma, sì. Senti, sta entrando la nave in porto, ora devo imbarcare la moto, e mi sa che il segnale a bordo non c'è. Eh. Sì, ti richiamo dopo, sì.

– Allora, com'è questa storia della camera doppia?

– Ciao bello – disse Piergiorgio, dando la mano a Rino. – Eh, nulla. Ho prenotato per uno, e ora siamo in due.

– E lo vedo che siete in due, dio bòno – rispose Rino, in uno strano miscuglio di tipica espressione pisana detta con l'accento di Benevento. Del resto, se uno si chiama Gennaro Pescitelli detto Rino ed ha fatto elementari, medie e liceo a Milano, è chiaro che è una persona che si sa adattare. – Con una così c'è il rischio serio che andiate via in tre.

Rino, con la mano, fece un cenno di saluto a Margherita, che rispose avvicinandosi, sempre col cellulare all'orecchio, e posandolo solo per salutare.

– Ciao, piacere, Margherita –. Dopodiché, portando il telefono all'altro orecchio: – No, guarda, questa è una cosa assurda. Il Ligabue l'hanno trovato, ma ormai è perso. La... sì, insomma, il supporto è andato, non so se mi capisci... sì, mamma, la pelle è marcita. Zeno era un collezionista, non un conciatore. Sì, Zeno. Sì, l'omicida, lui. Ha provato a conservarla, l'ha salata, ci ha anche fatto una specie di concia rudimentale con i tannini, ma non è servito a niente...

E, telefono al padiglione, si allontanò di nuovo. Rino, dopo averla guardata con occhi meno ammirati, ma sempre più curiosi, si girò verso Piergiorgio.

– Ligabue? Concia? Omicida? Scusa, che storia è?
– Guarda, è quella storia lì.
Piergiorgio indicò la locandina del «Tirreno», esposta a pochi metri da loro.

«L'HO UCCISO PER UN TATUAGGIO».
CONFESSA IL PROPRIETARIO DI POGGIO ALLE GHIANDE

– Cioè, quando mi hai detto che non ti potevi muovere perché eri sospettato di omicidio, non stavi scherzando?
– Ora ti racconto tutto. Ti spiace se vengo in macchina con te?
Rino guardò nuovamente la ragazza, che parlando si era appoggiata alla moto con i gomiti e stava a sedere all'insù.
– Oh, se non spiace a te...

– Insomma, ho capito – disse Rino, cambiando marcia. – Zeno Cavalcanti litiga con questo Raimondo, perché non vuole farsi curare. E non facendosi curare, fra l'altro, rovinerebbe il tatuaggio. Volano parole grosse, come si suol dire, via. E Zeno si arrabbia.
Piergiorgio, continuando a guardare la strada, annuì. Meglio l'auto della moto, sicuramente, ma la strada che da Portoferraio porta a Marina di Campo non è di quelle che aiutano la digestione.
– Esatto, Zeno si arrabbia – rispose. – Te l'ho detto, è una persona di quelle calme, ma quando si arrabbia perde il controllo. Poi magari si scusa, ma intanto ti tira il cognac negli occhi.

– Il cognac negli occhi?

– Sì. Praticamente, quando l'architetto ha insinuato che avesse visto Raimondo nudo, Zeno ha perso la testa e gli ha scagliato una bella dose di cognac addosso. Ma qui ci arriviamo dopo. Insomma, Raimondo e Zeno. I due litigano. Raimondo è un orso, ma è anziano. Zeno è più giovane ed è fuori di testa. Insomma, non è chiaro come è andata, ma Raimondo si ritrova con una vertebra del collo rotta. E Zeno con un cadavere per le mani. Un cadavere che però ha ancora un certo valore, per lui. Per cui si chiede se è possibile salvare almeno il tatuaggio.

– Già, la concia con i tannini. Però, scusa, ma questo Zeno ha dovuto scotennare un morto –. Rino, continuando a guardare la strada, alzò le sopracciglia. – Cioè, io non saprei da dove cominciare.

– Lui invece sì. Pare che in gioventù di suini ne abbia trattati molti.

– In gioventù ha scotennato suini –. Rino fece un cenno ammirato. – Si vede che è come andare in bicicletta, via. Non si scorda mai.

– Eh, pare di sì. Invece, sul trattamento post squartationem, era un po' meno ferrato. E qui entra la concia con i tannini estratti dalle ghiande, grazie ai consigli involontari di Giancarla.

– Cioè, in realtà quello che concia è l'acido tannico delle ghiande –. Rino scosse la testa. – Sai, la concia è una serie di reazioni complesse, oltretutto su un substrato solido. Richiede condizioni precise, controllate.

– Ma di preciso, cosa sarebbe?

– È una reazione di reticolazione. La reticolazione delle molecole di collagene con le molecole del conciante che agisce da punto di aggraffaggio. Praticamente è come trattare un piatto di spaghetti con delle graffette, per tentare di ottenere un materiale duraturo. È una procedura complicata, è chimicaccia sporca.

Rino scosse la testa, disapprovando vistosamente. Da spettroscopista, cioè da chimico fisico, disapprovava tutte quelle forme di tortura che obbligavano le molecole a reagire fra loro e soprattutto lui a sporcarsi le mani in laboratorio.

– Insomma, è difficile. Possono andare storte tante cose, se non si osserva la procedura con attenzione. Un conto è leggere le cose su Internet, un conto è saperle fare. Tenerla a temperatura sbagliata, sbalzi di umidità...

– Anche il fatto di averla tenuta avvolta nel caffè?

– Il caffè?

– Sì, il caffè. Aveva paura che i cani sentissero l'odore, per cui per un giorno 'sto coso è stato sepolto sotto uno strato di caffè.

– Eh sì, l'aroma del caffè copre tante cose. È la stessa tecnica che usano i narcotrafficanti per ingannare i cani in aeroporto, a volte. Non saprei scendere nel dettaglio, ma bene non gli ha fatto di sicuro.

– Nemmeno a me. Era finito il caffè in cucina, mi è toccato bere la tisana al tiglio. Comunque, anche quello lo aveva letto su Internet. A volte funziona, a volte no.

– Comunque, sentivo prima la tua nuova amica...

– Margherita.

– Sì, Margherita, dire che è irrecuperabile.

– Altro che irrecuperabile. L'ho visto coi miei occhi. Altro che Ligabue, sembrava una manciata di trippa andata a male. Sai, è pelle umana...

– Ecco, scusami sai, ma a proposito di pelle umana...

– Dimmi.

– Ma questo si è fatto fare un tatuaggio in manicomio? Senza anestesia, senza precauzioni, con roba recuperata a caso? Ma non fa un male bestia?

– Eh, bella domanda. Io i tatuaggi non li sopporto. Non lo so quanto fanno male. Comunque pare che Raimondo avesse una sopportazione del dolore veramente fuori della norma.

– È genetica anche quella?

– A volte sì. È una anomalia rara, ma possibile. Praticamente, non senti dolore per niente.

– L'ideale se fai il pugile – ridacchiò Rino, ma senza convinzione.

– Non troppo, non ti credere. Non fai una bella vita. Di solito muori giovane. Sviluppi infiammazioni croniche, dovute a posture sbagliate, denti in suppurazione, piccole infezioni degli organi interni di cui manco ti rendi conto. Peggiorano, e tu magari muori per una cistite.

– Ah be'. Invece Raimondo almeno è diventato vecchio. Però non sentiva il dolore.

– No, decisamente no. Renditi conto che una volta gli è rimasta la mano in una impastatrice, e per evitare che gli venisse triturata ha avuto la presenza di spirito di tagliarsi un dito da solo. A uno così che gli fa un tatuaggio? Manco se glielo fai con la scure. Poi tieni conto che era in manicomio, in qualche modo l'avranno tenuto buono e magari non gli davano esattamente l'aspirina. I medici non vanno tanto per il sottile ora coi farmaci, fammelo dire a me che qualcosina ne so, figurati allora.

– Non può essere anche quello, causa dell'omicidio? Insomma, ti trovi a litigare con un coso di un metro e novanta, che non sente dolore e che maneggia una zappa come io uso la penna…

– Mah, sì, potrebbe anche essere. Quello di Raimondo. Quello dell'architetto, invece, quello no.

Silenzio. Lo stesso silenzio che si era creato varie volte, durante il viaggio, e che Rino ogni volta era riuscito a stappare. Con curiosità, ma anche con delicatezza.

– Senti, se ti rompe parlarne…

– No no, assolutamente. È che sono successe talmente tante cose incredibili, negli ultimi giorni, che a volte mi incanto a pensarci.

– Sì, ti capisco.

– Sì, mamma. Va bene. Scusa, ora siamo a cena. Sì. Sì. Mamma, non sono affari tuoi. Sì, sì. Va bene. Anch'io. Ciao, mamma, ciao.

Margherita posò il telefono, si massaggiò l'orecchio e lo posò accanto al piatto vuoto. Quindi, sedendosi, guardò Piergiorgio con aria da collie.

– Scusa, ma con tutto questo caos era un po' difficile non darle corda. Era preoccupata. Non sono cose che capitano tutti i giorni. Voleva parlare un po'.

– Sì, sì. Certo.

– Invece Piergiorgio ha fatto voto del silenzio –. Rino, dopo aver versato un goccetto di vino a entrambi, si rilassò appoggiandosi alla sedia. – Spero per te che non prosegua con i voti ecclesiastici, sennò dura poco.

– Primo, portami tua sorella. Secondo, lo so, sono un po' taciturno. Scusa. È che ho una cosa in testa.

– E ci credo – assentì Margherita. – Dillo a me. Ho passato due settimane di vita gomito a gomito con un assassino.

Piergiorgio annuì.

– Sì, hai ragione. Però vedi, non riesco a togliermi dalla testa che se fossi stato zitto, due persone sarebbero ancora vive.

– Oìmmei, di nuovo con questa storia –. Margherita spalancò i fanali verso Rino, che trovò spontaneo mettersi bello diritto sulla sedia. – Senti, Rino, a te ti dà ascolto, mi sembra di aver capito. Glielo spieghi te che ha fatto solo il suo dovere?

– No, no. Io ho fatto quello che mi veniva spontaneo – corresse Piergiorgio. – Il mio dovere sarebbe stato chiedere a Raimondo se sapeva di avere una malattia, e non buttarla lì come se fosse una prova di quante ne sapevo –. Piergiorgio fece un respiro profondo. – Girala come vuoi, ma ho fatto un errore. In termini burocratici, sarebbe violazione della privacy. In termini pratici, son morte due persone.

– Capisco – disse Rino. – E se tu non lo avessi detto?

– Eh, non lo so. Ma di sicuro due persone erano ancora vive.

– E che ne sai? Magari sarebbe scoppiata una lite dopo la scoperta della tomba etrusca. Magari i cinesi compravano la tenuta, davano inizio ai lavori e otto operai morivano cascando da un'impalcatura.

– Vero – tenne botta Margherita. – Oppure magari Piotr si convinceva davvero che era tutta opera del demonio e dava fuoco alla tenuta. A proposito di Piotr, ora sta bene?

– Ma sì, tutto sommato sì. Sono stato a visitarlo prima. È stata una giornata pesante anche per lui, del resto. Un po' il demonio dal cesso, un po' scoprire che il tuo datore di lavoro è un assassino, mettici anche la nottata in cantina...

– Nottata in cantina? – chiese Rino.

– Sì, è una storia lunga...

E Piergiorgio cominciò a raccontare che, quando Zeno aveva ammesso, il colonnello Valente aveva dovuto portarlo via prima di subito, perché Riccardo Maria Torregrossa sembrava seriamente intenzionato a processarlo a manate lì sul posto e anche gli altri, se anche avessero potuto impedirlo, probabilmente non ci sarebbero riusciti. In più ci si era messa anche la Marangoni, che aveva iniziato a strillare che il povero Alfredo era innocente come Cristo e lo avevano messo in croce, e prima di portare Zeno là dove si meritava il colonnello sarebbe dovuto andare subito in caserma, e chiedere l'immediato rilascio del povero Alfredo. Insomma, un casino tale che l'intera brigata era stata trasferita d'ufficio in paese, chi in caserma dei carabinieri per confessare, chi per rendere testimonianza, chi per aspettare qualcuno e chi per non rimanere lì da solo. Morale della favola, si erano dimenticati di Piotr. Il domestico era quindi rimasto in cantina al freddo, con la sola compagnia della Santa Vergine di Czestochowa e di qualche centinaio di bestie piene di zampe di varia specie, dai ragni ai bruchi, ed era stato estratto la mattina dopo, pallido come una foto del papa che scia.

Piergiorgio, invece, quella sera rimase lì, nel calore umano, a raccontare, e raccontare ancora. E da Piotr si passò ad Alfredo, e da Alfredo alla tenuta, e dalla tenuta a Margherita, e lì Rino si scusò e disse che era tardi, e che se domani volevano davvero arrivare in bici al Cavo forse era meglio andare a letto.

– Allora, come va? – disse Margherita, buttandosi sul letto a pancia in giù, e sforbiciando con grazia i piedini in aria. – Ti sei convinto o vado a comprare un cilicio da indossare domani sulle salite, così inizi a far penitenza per i tuoi peccati?

– Dipende. Se mi sta bene, potrei anche pensarci...

Margherita, sempre sdraiata a pancia sotto, si avvicinò a Piergiorgio a piccoli passetti laterali, tipo granchio in slip e reggiseno. Poi, mise una mano sulla coscia di Piergiorgio, e parlò con tono serio, ma sereno.

– Senti, non sei responsabile di quello che è successo. Tu non hai ucciso nessuno. Hai detto a una persona che un'altra persona a cui era affezionata aveva una malattia. Credo sia difficile fartene una colpa.

– Sì, hai ragione – ammise Piergiorgio, senza sapere che questa ammissione sarebbe stata solo la prima di una lunga serie, da quel giorno in poi. – Qualsiasi atto medico può avere delle conseguenze negative. Anzi, qualsiasi atto in generale. In fondo è tutta una questione di pesare i rischi e i benefici. Uno dei miei professori, a lezione, diceva che può accadere che le persone si soffochino mangiando, ma non per questo uno dovrebbe smettere di mangiare. Sono solo coincidenze. Tristi, ma coincidenze.

Margherita, invece di annuire con compunzione, gli dette una manata entusiasta sulla coscia.

– Ecco, bravo! – disse. – A proposito di coincidenze, com'è la storia di Anthony Hopkins e di via Petrovka?

Piergiorgio si voltò, sorridendo.

– Ah, è una storia ganzissima. Un giorno, Anthony Hopkins venne scritturato per girare un film tratto da un libro, *La ragazza di via Petrovka*, di George Feifer.

– Non conosco.

– Temo tu sia in ottima compagnia, me incluso. Comunque, essendo un attore professionale e perfezionista, Hopkins si andò a comprare il libro. In nessuna delle librerie dove andò, comunque, trovò una copia del libro, e così Hopkins prese la metro e tornò verso casa. E sai che successe?

– Cosa?

– Successe che curiosamente, lo stesso giorno, su una panchina della metro, trovò un libro.

– Non ci credo. *La ragazza di via Petrovka*?

– Esatto. Una copia dimenticata da qualcuno, con delle annotazioni a matita. In seguito...

– Ah, non è finita qui?

– Nemmeno per idea. In seguito, raccontò la storia all'autore, e Feifer impallidì. Sa, gli disse, io quel giorno ho perso una copia del libro. Era la mia copia personale, stavo facendo delle annotazioni per l'edizione successiva in inglese statunitense. Non è che ha ancora quel libro? chiese. Eccolo, disse Hopkins.

– Non ci credo.

– Credici. Fai come me. Io ci ho sempre creduto.

Margherita guardò Piergiorgio un attimo, prima di aprire un sorriso che Piergiorgio non aveva mai visto prima.

– Non ti riferisci alla ragazza di via Petrovka, vero?

– No, non a lei.

Vecchiano, 7 giugno 2017

Per dare un'idea

Per capire che cosa sarebbe successo di lì a poco a Poggio alle Ghiande, la cosa migliore è dare il punto di vista di ognuna delle persone che abbiamo incontrato.

Per Alfredo Cavalcanti e Anna Maria Marangoni, Poggio alle Ghiande era nient'altro che il teatro di ricordi troppo dolorosi per entrambi. Per questo motivo, nessuno dei due era intenzionato a mettervi più piede. Tanto più che Anna Maria Marangoni ha già dormito un paio di notti a casa di Alfredo, a Milano, via Moscova, e se in futuro si sentisse sola a casa propria sa che non dovrebbe arrivare fino in Toscana per sentirsi meglio.

Per l'ingegner Giorgio De Finetti, Poggio alle Ghiande è il luogo fisico dove è stato arrestato per la prima, e si spera unica, volta in vita sua. Per SeaNese, era un'ottima opportunità che purtroppo è sfumata. Entrambi hanno imparato qualcosa, in questo lasso di tempo.

Per Enrico Della Rosa e Cristina Salitutti, Poggio alle Ghiande è il luogo dove passano le vacanze con i nipotini. Un giorno, sicuramente, gli spiegheranno cosa è successo fra i gelsi e i pini che fanno loro ombra dopo una giornata di mare, ma non subito. Tanto c'è tempo.

Per Piotr Kucharski, Poggio alle Ghiande è un posto posseduto dal demonio. Il fatto stesso che persone come Enrico Della Rosa ci si trovino bene ne è la prova. Ma se uno deve lavorare, di questi tempi, anche il demonio potrebbe non bastare a mandarti via.

Per Riccardo Maria Torregrossa e Giancarla Bernardeschi, Poggio alle Ghiande resta il posto tranquillo dove ritirarsi per le ferie. Ci hanno ucciso qualcuno, è vero. La probabilità che questo si ripeta, nello stesso luogo, è quindi ritenuta da entrambi molto, molto bassa.

Per Piergiorgio e Margherita, Poggio alle Ghiande è il posto dove si sono guardati negli occhi, e hanno deciso di cominciare a guardare nella stessa direzione.

E comunque vadano le cose, questo rimarrà.

Da leggere dopo

Un invito al lettore: questa spiegazione contiene uno spoiler sulla trama del giallo che avete appena letto. Se siete il tipo di lettore che non resiste alla tentazione di guardare le spiegazioni finali, mi permetto di dissuadervi dal continuare.

Quando ho iniziato a pensare a questo romanzo, ero completamente all'oscuro del fatto che, nel mondo, esistessero davvero persone in grado di mettere su una collezione permanente di tatuaggi autentici; avevo semplicemente fiducia nella infinita fantasia dell'essere umano.

Collezioni permanenti, infatti, esistono, agli scopi più disparati. La più famosa – o meglio, la prima che esce cercando su Internet – è quella del giapponese Fukushi Masaichi, un medico che nel periodo tra la prima e la seconda guerra mondiale chiese ed ottenne da vari affiliati alla yakuza di poter espiantare la loro superficie dermatica esterna, la quale non di rado era istoriata dalla testa ai piedi; ne ottenne così una collezione di circa 2.000 mute di pelle, molte delle quali andarono perse durante i bombardamenti della seconda guerra mondiale. La collezione di Fukushi non era a scopo artistico, ma scientifico: il dottore giapponese aveva scoperto che i tatuaggi sono in grado di guarire le lesioni dermatologiche causate dalla sifilide, e aveva intenzione di scoprirne la causa. La collezione non è visitabile.

Così come non è visitabile, al pubblico, la raccolta di tatuaggi presso la Wellcome Collection di Londra, il museo che esplora il significato di «essere umano» attraverso mostre di ogni tipo, da quella delle toilette portatili a quella dei kit per resuscitare le persone tramite fumi di tabacco. Tale raccolta venne acquisita nel 1929 da parte di uno degli impiegati del museo da tale dottor La Valette, proprietario della collezione per scopi sconosciuti.

Sarà invece, presumibilmente, visibile al pubblico per molti anni il tatuaggio che Tim Steiner, uno svizzero quarantenne, si è fatto installare sulla schiena dall'artista belga Wim Delvoye. Quando Steiner morirà l'opera non morirà con lui; il previdente Tim ha infatti venduto il proprio tatuaggio a un collezionista tedesco, Rik Reinking, per circa 180.000 euro. Al momento del fattaccio, la pelle di Tim verrà espiantata, trattata e incorniciata. Non so voi; alle frequenti richieste di Reinking di dargli le spalle per una guardatina, io, se fossi in Tim, eseguirei solo alla presenza di testimoni. Cosa che, in effetti, Tim Steiner fa, acconsentendo spesso a venire esibito come opera d'arte vivente nella collezione dello stesso Reinking.

La cosa curiosa è che sono venuto a sapere di questa curiosa opera d'arte – ho prove scritte – solo dopo aver cominciato a scrivere il libro; ennesima riprova del fatto che chi scrive romanzi non si inventa quasi mai nulla, e che gli esseri umani nel loro insieme hanno molta più fantasia di qualsiasi romanziere.

Per finire

Come al solito, sono molte le persone senza le quali questo libro sarebbe stato diverso, ed è doveroso ringraziarle una per una.

Ringrazio Chiara Fardella per avermi svelato alcuni misteri del lavoro dell'archivista; questa figura ha cambiato decisamente aspetto nella mia testa.

Ringrazio Dario Rossi per avermi raccontato con quale frequenza vengono rinvenuti reperti etruschi di ogni tipo, dalla tazza alla tomba, nella striscia di terra che va da Cecina a Cornieto, come direbbe Dante, e cosa questo comporti in termini edilizi e immobiliari.

Ringrazio Michela Cipolla per avermi portato a Pianetti, ed avermi fatto scoprire un posto meraviglioso sia per come è fatto che per chi ci abita.

Ringrazio, infine, i miei editor privati: particolarmente Rino, lui sa perché. E, insieme a loro, Mimmo (sempre il primo a mandare un preciso resoconto), Letizia, Serena, Virgilio (che è sempre l'ultimo, ma gli voglio bene lo stesso), ilTotaro&laCheli (entrambi obbligati, per motivi diversi), Davide e la new entry Serena V., collega di libri scritti e letti.

E, da ultimo, ma come sempre in ordine inverso di importanza, ringrazio Samantha. Credo non ci sia più nemmeno bisogno di spiegare perché.

Indice

Negli occhi di chi guarda

Prologo 13
Inizio 17
Uno 27
Due 46
Tre 60
Quattro 78

Due settimane dopo

Dalla posta dell'architetto 101
Cinque 106
Sei 117
Sette 134
Otto 146
Nove 156
Dalla posta dell'architetto 165
Dieci 168
Undici 177
Dalla posta dell'architetto 188
Dodici 192

Tredici 211
Quattrodici 225
Quindici 239

Epilogo 253

Per dare un'idea 267

Da leggere dopo 269

Per finire 273

Questo volume è stato stampato
su carta Palatina
delle Cartiere di Fabriano
nel mese di ottobre 2017
presso la Leva srl - Milano
e confezionato
presso IGF s.p.a. - Aldeno (TN)

La memoria

Ultimi volumi pubblicati

701 Angelo Morino. Rosso taranta
702 Michele Perriera. La casa
703 Ugo Cornia. Le pratiche del disgusto
704 Luigi Filippo d'Amico. L'uomo delle contraddizioni. Pirandello visto da vicino
705 Giuseppe Scaraffia. Dizionario del dandy
706 Enrico Micheli. Italo
707 Andrea Camilleri. Le pecore e il pastore
708 Maria Attanasio. Il falsario di Caltagirone
709 Roberto Bolaño. Anversa
710 John Mortimer. Nuovi casi per l'avvocato Rumpole
711 Alicia Giménez-Bartlett. Nido vuoto
712 Toni Maraini. La lettera da Benares
713 Maj Sjöwall, Per Wahlöö. Il poliziotto che ride
714 Budd Schulberg. I disincantati
715 Alda Bruno. Germani in bellavista
716 Marco Malvaldi. La briscola in cinque
717 Andrea Camilleri. La pista di sabbia
718 Stefano Vilardo. Tutti dicono Germania Germania
719 Marcello Venturi. L'ultimo veliero
720 Augusto De Angelis. L'impronta del gatto
721 Giorgio Scerbanenco. Annalisa e il passaggio a livello
722 Anthony Trollope. La Casetta ad Allington
723 Marco Santagata. Il salto degli Orlandi
724 Ruggero Cappuccio. La notte dei due silenzi
725 Sergej Dovlatov. Il libro invisibile
726 Giorgio Bassani. I Promessi Sposi. Un esperimento
727 Andrea Camilleri. Maruzza Musumeci
728 Furio Bordon. Il canto dell'orco
729 Francesco Laudadio. Scrivano Ingannamorte
730 Louise de Vilmorin. Coco Chanel
731 Alberto Vigevani. All'ombra di mio padre
732 Alexandre Dumas. Il cavaliere di Sainte-Hermine
733 Adriano Sofri. Chi è il mio prossimo
734 Gianrico Carofiglio. L'arte del dubbio
735 Jacques Boulenger. Il romanzo di Merlino
736 Annie Vivanti. I divoratori
737 Mario Soldati. L'amico gesuita

738 Umberto Domina. La moglie che ha sbagliato cugino
739 Maj Sjöwall, Per Wahlöö. L'autopompa fantasma
740 Alexandre Dumas. Il tulipano nero
741 Giorgio Scerbanenco. Sei giorni di preavviso
742 Domenico Seminerio. Il manoscritto di Shakespeare
743 André Gorz. Lettera a D. Storia di un amore
744 Andrea Camilleri. Il campo del vasaio
745 Adriano Sofri. Contro Giuliano. Noi uomini, le donne e l'aborto
746 Luisa Adorno. Tutti qui con me
747 Carlo Flamigni. Un tranquillo paese di Romagna
748 Teresa Solana. Delitto imperfetto
749 Penelope Fitzgerald. Strategie di fuga
750 Andrea Camilleri. Il casellante
751 Mario Soldati. ah! il Mundial!
752 Giuseppe Bonarivi. La divina foresta
753 Maria Savi-Lopez. Leggende del mare
754 Francisco García Pavón. Il regno di Witiza
755 Augusto De Angelis. Giobbe Tuama & C.
756 Eduardo Rebulla. La misura delle cose
757 Maj Sjöwall, Per Wahlöö. Omicidio al Savoy
758 Gaetano Savatteri. Uno per tutti
759 Eugenio Baroncelli. Libro di candele
760 Bill James. Protezione
761 Marco Malvaldi. Il gioco delle tre carte
762 Giorgio Scerbanenco. La bambola cieca
763 Danilo Dolci. Racconti siciliani
764 Andrea Camilleri. L'età del dubbio
765 Carmelo Samonà. Fratelli
766 Jacques Boulenger. Lancillotto del Lago
767 Hans Fallada. E adesso, pover'uomo?
768 Alda Bruno. Tacchino farcito
769 Gian Carlo Fusco. La Legione straniera
770 Piero Calamandrei. Per la scuola
771 Michèle Lesbre. Il canapé rosso
772 Adriano Sofri. La notte che Pinelli
773 Sergej Dovlatov. Il giornale invisibile
774 Tullio Kezich. Noi che abbiamo fatto La dolce vita
775 Mario Soldati. Corrispondenti di guerra
776 Maj Sjöwall, Per Wahlöö. L'uomo che andò in fumo
777 Andrea Camilleri. Il sonaglio
778 Michele Perriera. I nostri tempi
779 Alberto Vigevani. Il battello per Kew
780 Alicia Giménez-Bartlett. Il silenzio dei chiostri
781 Angelo Morino. Quando internet non c'era
782 Augusto De Angelis. Il banchiere assassinato
783 Michel Maffesoli. Icone d'oggi
784 Mehmet Murat Somer. Scandaloso omicidio a Istanbul
785 Francesco Recami. Il ragazzo che leggeva Maigret
786 Bill James. Confessione
787 Roberto Bolaño. I detective selvaggi
788 Giorgio Scerbanenco. Nessuno è colpevole
789 Andrea Camilleri. La danza del gabbiano
790 Giuseppe Bonaviri. Notti sull'altura

791 Giuseppe Tornatore. Baarìa
792 Alicia Giménez-Bartlett. Una stanza tutta per gli altri
793 Furio Bordon. A gentile richiesta
794 Davide Camarrone. Questo è un uomo
795 Andrea Camilleri. La rizzagliata
796 Jacques Bonnet. I fantasmi delle biblioteche
797 Marek Edelman. C'era l'amore nel ghetto
798 Danilo Dolci. Banditi a Partinico
799 Vicki Baum. Grand Hotel
800
801 Anthony Trollope. Le ultime cronache del Barset
802 Arnoldo Foà. Autobiografia di un artista burbero
803 Herta Müller. Lo sguardo estraneo
804 Gianrico Carofiglio. Le perfezioni provvisorie
805 Gian Mauro Costa. Il libro di legno
806 Carlo Flamigni. Circostanze casuali
807 Maj Sjöwall, Per Wahlöö. L'uomo sul tetto
808 Herta Müller. Cristina e il suo doppio
809 Martin Suter. L'ultimo dei Weynfeldt
810 Andrea Camilleri. Il nipote del Negus
811 Teresa Solana. Scorciatoia per il paradiso
812 Francesco M. Cataluccio. Vado a vedere se di là è meglio
813 Allen S. Weiss. Baudelaire cerca gloria
814 Thornton Wilder. Idi di marzo
815 Esmahan Aykol. Hotel Bosforo
816 Davide Enia. Italia-Brasile 3 a 2
817 Giorgio Scerbanenco. L'antro dei filosofi
818 Pietro Grossi. Martini
819 Budd Schulberg. Fronte del porto
820 Andrea Camilleri. La caccia al tesoro
821 Marco Malvaldi. Il re dei giochi
822 Francisco García Pavón. Le sorelle scarlatte
823 Colin Dexter. L'ultima corsa per Woodstock
824 Augusto De Angelis. Sei donne e un libro
825 Giuseppe Bonaviri. L'enorme tempo
826 Bill James. Club
827 Alicia Giménez-Bartlett. Vita sentimentale di un camionista
828 Maj Sjöwall, Per Wahlöö. La camera chiusa
829 Andrea Molesini. Non tutti i bastardi sono di Vienna
830 Michèle Lesbre. Nina per caso
831 Herta Müller. In trappola
832 Hans Fallada. Ognuno muore solo
833 Andrea Camilleri. Il sorriso di Angelica
834 Eugenio Baroncelli. Mosche d'inverno
835 Margaret Doody. Aristotele e i delitti d'Egitto
836 Sergej Dovlatov. La filiale
837 Anthony Trollope. La vita oggi
838 Martin Suter. Com'è piccolo il mondo!
839 Marco Malvaldi. Odore di chiuso
840 Giorgio Scerbanenco. Il cane che parla
841 Festa per Elsa
842 Paul Léautaud. Amori
843 Claudio Coletta. Viale del Policlinico

844 Luigi Pirandello. Racconti per una sera a teatro
845 Andrea Camilleri. Gran Circo Taddei e altre storie di Vigàta
846 Paolo Di Stefano. La catastròfa. Marcinelle 8 agosto 1956
847 Carlo Flamigni. Senso comune
848 Antonio Tabucchi. Racconti con figure
849 Esmahan Aykol. Appartamento a Istanbul
850 Francesco M. Cataluccio. Chernobyl
851 Colin Dexter. Al momento della scomparsa la ragazza indossava
852 Simonetta Agnello Hornby. Un filo d'olio
853 Lawrence Block. L'Ottavo Passo
854 Carlos María Domínguez. La casa di carta
855 Luciano Canfora. La meravigliosa storia del falso Artemidoro
856 Ben Pastor. Il Signore delle cento ossa
857 Francesco Recami. La casa di ringhiera
858 Andrea Camilleri. Il gioco degli specchi
859 Giorgio Scerbanenco. Lo scandalo dell'osservatorio astronomico
860 Carla Melazzini. Insegnare al principe di Danimarca
861 Bill James. Rose, rose
862 Roberto Bolaño, A. G. Porta. Consigli di un discepolo di Jim Morrison a un fanatico di Joyce
863 Stefano Benni. La traccia dell'angelo
864 Martin Suter. Allmen e le libellule
865 Giorgio Scerbanenco. Nebbia sul Naviglio e altri racconti gialli e neri
866 Danilo Dolci. Processo all'articolo 4
867 Maj Sjöwall, Per Wahlöö. Terroristi
868 Ricardo Romero. La sindrome di Rasputin
869 Alicia Giménez-Bartlett. Giorni d'amore e inganno
870 Andrea Camilleri. La setta degli angeli
871 Guglielmo Petroni. Il nome delle parole
872 Giorgio Fontana. Per legge superiore
873 Anthony Trollope. Lady Anna
874 Gian Mauro Costa, Carlo Flamigni, Alicia Giménez-Bartlett, Marco Malvaldi, Ben Pastor, Santo Piazzese, Francesco Recami. Un Natale in giallo
875 Marco Malvaldi. La carta più alta
876 Franz Zeise. L'Armada
877 Colin Dexter. Il mondo silenzioso di Nicholas Quinn
878 Salvatore Silvano Nigro. Il Principe fulvo
879 Ben Pastor. Lumen
880 Dante Troisi. Diario di un giudice
881 Ginevra Bompiani. La stazione termale
882 Andrea Camilleri. La Regina di Pomerania e altre storie di Vigàta
883 Tom Stoppard. La sponda dell'utopia
884 Bill James. Il detective è morto
885 Margaret Doody. Aristotele e la favola dei due corvi bianchi
886 Hans Fallada. Nel mio paese straniero
887 Esmahan Aykol. Divorzio alla turca
888 Angelo Morino. Il film della sua vita
889 Eugenio Baroncelli. Falene. 237 vite quasi perfette
890 Francesco Recami. Gli scheletri nell'armadio
891 Teresa Solana. Sette casi di sangue e una storia d'amore
892 Daria Galateria. Scritti galeotti
893 Andrea Camilleri. Una lama di luce

894 Martin Suter. Allmen e il diamante rosa
895 Carlo Flamigni. Giallo uovo
896 Maj Sjöwall, Per Wahlöö. Il milionario
897 Gian Mauro Costa. Festa di piazza
898 Gianni Bonina. I sette giorni di Allah
899 Carlo María Domínguez. La costa cieca
900
901 Colin Dexter. Niente vacanze per l'ispettore Morse
902 Francesco M. Cataluccio. L'ambaradan delle quisquiglie
903 Giuseppe Barbera. Conca d'oro
904 Andrea Camilleri. Una voce di notte
905 Giuseppe Scaraffia. I piaceri dei grandi
906 Sergio Valzania. La Bolla d'oro
907 Héctor Abad Faciolince. Trattato di culinaria per donne tristi
908 Mario Giorgianni. La forma della sorte
909 Marco Malvaldi. Milioni di milioni
910 Bill James. Il mattatore
911 Esmahan Aykol, Andrea Camilleri, Gian Mauro Costa, Marco Malvaldi, Antonio Manzini, Francesco Recami. Capodanno in giallo
912 Alicia Giménez-Bartlett. Gli onori di casa
913 Giuseppe Tornatore. La migliore offerta
914 Vincenzo Consolo. Esercizi di cronaca
915 Stanisław Lem. Solaris
916 Antonio Manzini. Pista nera
917 Xiao Bai. Intrigo a Shanghai
918 Ben Pastor. Il cielo di stagno
919 Andrea Camilleri. La rivoluzione della luna
920 Colin Dexter. L'ispettore Morse e le morti di Jericho
921 Paolo Di Stefano. Giallo d'Avola
922 Francesco M. Cataluccio. La memoria degli Uffizi
923 Alan Bradley. Aringhe rosse senza mostarda
924 Davide Enia. maggio '43
925 Andrea Molesini. La primavera del lupo
926 Eugenio Baroncelli. Pagine bianche. 55 libri che non ho scritto
927 Roberto Mazzucco. I sicari di Trastevere
928 Ignazio Buttitta. La peddi nova
929 Andrea Camilleri. Un covo di vipere
930 Lawrence Block. Un'altra notte a Brooklyn
931 Francesco Recami. Il segreto di Angela
932 Andrea Camilleri, Gian Mauro Costa, Alicia Giménez-Bartlett, Marco Malvaldi, Antonio Manzini, Francesco Recami. Ferragosto in giallo
933 Alicia Giménez-Bartlett. Segreta Penelope
934 Bill James. Tip Top
935 Davide Camarrone. L'ultima indagine del Commissario
936 Storie della Resistenza
937 John Glassco. Memorie di Montparnasse
938 Marco Malvaldi. Argento vivo
939 Andrea Camilleri. La banda Sacco
940 Ben Pastor. Luna bugiarda
941 Santo Piazzese. Blues di mezz'autunno
942 Alan Bradley. Il Natale di Flavia de Luce
943 Margaret Doody. Aristotele nel regno di Alessandro

944 Maurizio de Giovanni, Alicia Giménez-Bartlett, Bill James, Marco Malvaldi, Antonio Manzini, Francesco Recami. Regalo di Natale
945 Anthony Trollope. Orley Farm
946 Adriano Sofri. Machiavelli, Tupac e la Principessa
947 Antonio Manzini. La costola di Adamo
948 Lorenza Mazzetti. Diario londinese
949 Gian Mauro Costa, Alicia Giménez-Bartlett, Marco Malvaldi, Antonio Manzini, Francesco Recami. Carnevale in giallo
950 Marco Steiner. Il corvo di pietra
951 Colin Dexter. Il mistero del terzo miglio
952 Jennifer Worth. Chiamate la levatrice
953 Andrea Camilleri. Inseguendo un'ombra
954 Nicola Fantini, Laura Pariani. Nostra Signora degli scorpioni
955 Davide Camarrone. Lampaduza
956 José Roman. Chez Maxim's. Ricordi di un fattorino
957 Luciano Canfora. 1914
958 Alessandro Robecchi. Questa non è una canzone d'amore
959 Gian Mauro Costa. L'ultima scommessa
960 Giorgio Fontana. Morte di un uomo felice
961 Andrea Molesini. Presagio
962 La partita di pallone. Storie di calcio
963 Andrea Camilleri. La piramide di fango
964 Beda Romano. Il ragazzo di Erfurt
965 Anthony Trollope. Il Primo Ministro
966 Francesco Recami. Il caso Kakoiannis-Sforza
967 Alan Bradley. A spasso tra le tombe
968 Claudio Coletta. Amstel blues
969 Alicia Giménez-Bartlett, Marco Malvaldi, Antonio Manzini, Francesco Recami, Alessandro Robecchi, Gaetano Savatteri. Vacanze in giallo
970 Carlo Flamigni. La compagnia di Ramazzotto
971 Alicia Giménez-Bartlett. Dove nessuno ti troverà
972 Colin Dexter. Il segreto della camera 3
973 Adriano Sofri. Reagì Mauro Rostagno sorridendo
974 Augusto De Angelis. Il canotto insanguinato
975 Esmahan Aykol. Tango a Istanbul
976 Josefina Aldecoa. Storia di una maestra
977 Marco Malvaldi. Il telefono senza fili
978 Franco Lorenzoni. I bambini pensano grande
979 Eugenio Baroncelli. Gli incantevoli scarti. Cento romanzi di cento parole
980 Andrea Camilleri. Morte in mare aperto e altre indagini del giovane Montalbano
981 Ben Pastor. La strada per Itaca
982 Esmahan Aykol, Alan Bradley, Gian Mauro Costa, Maurizio de Giovanni, Nicola Fantini e Laura Pariani, Alicia Giménez-Bartlett, Francesco Recami. La scuola in giallo
983 Antonio Manzini. Non è stagione
984 Antoine de Saint-Exupéry. Il Piccolo Principe
985 Martin Suter. Allmen e le dalie
986 Piero Violante. Swinging Palermo
987 Marco Balzano, Francesco M. Cataluccio, Neige De Benedetti, Paolo Di Stefano, Giorgio Fontana, Helena Janeczek. Milano
988 Colin Dexter. La fanciulla è morta

989 Manuel Vázquez Montalbán. Galíndez
990 Federico Maria Sardelli. L'affare Vivaldi
991 Alessandro Robecchi. Dove sei stanotte
992 Nicola Fantini e Laura Pariani, Marco Malvaldi, Dominique Manotti, Antonio Manzini, Francesco Recami, Gaetano Savatteri. La crisi in giallo
993 Jennifer Worth. Tra le vite di Londra
994 Hai voluto la bicicletta. Il piacere della fatica
995 Alan Bradley. Un segreto per Flavia de Luce
996 Giampaolo Simi. Cosa resta di noi
997 Alessandro Barbero. Il divano di Istanbul
998 Scott Spencer. Un amore senza fine
999 Antonio Tabucchi. L'automobile, la nostalgia e l'infinito
1000 La memoria di Elvira
1001 Andrea Camilleri. La giostra degli scambi
1002 Enrico Deaglio. Storia vera e terribile tra Sicilia e America
1003 Francesco Recami. L'uomo con la valigia
1004 Fabio Stassi. Fumisteria
1005 Alicia Giménez-Bartlett, Marco Malvaldi, Antonio Manzini, Santo Piazzese, Francesco Recami, Gaetano Savatteri. Turisti in giallo
1006 Bill James. Un taglio radicale
1007 Alexander Langer. Il viaggiatore leggero. Scritti 1961-1995
1008 Antonio Manzini. Era di maggio
1009 Alicia Giménez-Bartlett. Sei casi per Petra Delicado
1010 Ben Pastor. Kaputt Mundi
1011 Nino Vetri. Il Michelangelo
1012 Andrea Camilleri. Le vichinghe volanti e altre storie d'amore a Vigàta
1013 Elvio Fassone. Fine pena: ora
1014 Dominique Manotti. Oro nero
1015 Marco Steiner. Oltremare
1016 Marco Malvaldi. Buchi nella sabbia
1017 Pamela Lyndon Travers. Zia Sass
1018 Giosuè Calaciura, Gianni Di Gregorio, Antonio Manzini, Fabio Stassi, Giordano Tedoldi, Chiara Valerio. Storie dalla città eterna
1019 Giuseppe Tornatore. La corrispondenza
1020 Rudi Assuntino, Wlodek Goldkorn. Il guardiano. Marek Edelman racconta
1021 Antonio Manzini. Cinque indagini romane per Rocco Schiavone
1022 Lodovico Festa. La provvidenza rossa
1023 Giuseppe Scaraffia. Il demone della frivolezza
1024 Colin Dexter. Il gioiello che era nostro
1025 Alessandro Robecchi. Di rabbia e di vento
1026 Yasmina Khadra. L'attentato
1027 Maj Sjöwall, Tomas Ross. La donna che sembrava Greta Garbo
1028 Daria Galateria. L'etichetta alla corte di Versailles. Dizionario dei privilegi nell'età del Re Sole
1029 Marco Balzano. Il figlio del figlio
1030 Marco Malvaldi. La battaglia navale
1031 Fabio Stassi. La lettrice scomparsa
1032 Esmahan Aykol, Gian Mauro Costa, Alicia Giménez-Bartlett, Marco Malvaldi, Antonio Manzini, Francesco Recami, Gaetano Savatteri. Il calcio in giallo
1033 Sergej Dovlatov. Taccuini

1034 Andrea Camilleri. L'altro capo del filo
1035 Francesco Recami. Morte di un ex tappezziere
1036 Alan Bradley. Flavia de Luce e il delitto nel campo dei cetrioli
1037 Manuel Vázquez Montalbán. Io, Franco
1038 Antonio Manzini. 7-7-2007
1039 Luigi Natoli. I Beati Paoli
1040 Gaetano Savatteri. La fabbrica delle stelle
1041 Giorgio Fontana. Un solo paradiso
1042 Dominique Manotti. Il sentiero della speranza
1043 Marco Malvaldi. Sei casi al BarLume
1044 Ben Pastor. I piccoli fuochi
1045 Luciano Canfora. 1956. L'anno spartiacque
1046 Andrea Camilleri. La cappella di famiglia e altre storie di Vigàta
1047 Nicola Fantini, Laura Pariani. Che Guevara aveva un gallo
1048 Colin Dexter. La strada nel bosco
1049 Claudio Coletta. Il manoscritto di Dante
1050 Giosuè Calaciura, Andrea Camilleri, Francesco M. Cataluccio, Alicia Giménez-Bartlett, Antonio Manzini, Francesco Recami, Fabio Stassi. Storie di Natale
1051 Alessandro Robecchi. Torto marcio
1052 Bill James. Uccidimi
1053 Alan Bradley. La morte non è cosa per ragazzine
1054 Émile Zola. Il denaro
1055 Andrea Camilleri. La mossa del cavallo
1056 Francesco Recami. Commedia nera n. 1
1057 Marco Consentino, Domenico Dodaro, Luigi Panella. I fantasmi dell'Impero
1058 Dominique Manotti. Le mani su Parigi
1059 Antonio Manzini. La giostra dei criceti
1060 Gaetano Savatteri. La congiura dei loquaci
1061 Sergio Valzania. Sparta e Atene. Il racconto di una guerra
1062 Heinz Rein. Berlino. Ultimo atto
1063 Honoré de Balzac. Albert Savarus
1064 Alicia Giménez-Bartlett, Marco Malvaldi, Antonio Manzini, Francesco Recami, Alessandro Robecchi, Gaetano Savatteri. Viaggiare in giallo
1065 Fabio Stassi. Angelica e le comete
1066 Andrea Camilleri. La rete di protezione
1067 Ben Pastor. Il morto in piazza
1068 Luigi Natoli. Coriolano della Floresta
1069 Francesco Recami. Sei storie della casa di ringhiera
1070 Giampaolo Simi. La ragazza sbagliata
1071 Alessandro Barbero. Federico il Grande
1072 Colin Dexter. Le figlie di Caino
1073 Antonio Manzini. Pulvis et umbra
1074 Jennifer Worth. Le ultime levatrici dell'East End
1075 Tiberio Mitri. La botta in testa
1076 Francesco Recami. L'errore di Platini